DE ETIQUETA

DE ETIQUETA

DEBY BÉARD

CORTESÍA Y BUENOS MODALES PARA ALCANZAR EL ÉXITO EN SOCIEDAD

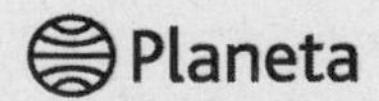

Diseño de portada e interiores: Víctor M. Ortiz Pelayo
Fotografía de portada: Eduardo García Rangel
Ilustraciones de interiores: Alma Julieta Núñez Cruz y Miguel Ángel Chávez Villalpando

Avenida Presidente Masarik núm. 111, 2o. piso
Colonia Chapultepec Morales
C.P. 11570 México, D.F.
www.editorialplaneta.com.mx

Primera edición: septiembre de 2008
ISBN: 978-607-7-00034-1

Impreso en los talleres de Litográfica Ingramex, S.A. de C.V.
Centeno núm. 162, colonia Granjas Esmeralda, México, D.F.
Impreso y hecho en México – *Printed and made in Mexico*

A mi madre, que extraño tanto

Agradecimientos

A Charles por su constante cariño.

A Sergio Sarmiento por su apoyo.

A Eva Cruz Martell por su entrega.

A Humberto Hernández por darme aquella primera oportunidad.

A Daniel Mesino por imaginar este libro.

A Mia... por ser.

Índice

Capítulo dos

¿Etiquetado? ¡Sí! Por tus buenas maneras 73

Capítulo tres

De la teoría a la acción 121

Introducción

La palabra *etiqueta* en sí misma suena aburrida. Hablar de *buenos modales* es la antesala de una frase anticuada. Cuando comencé con mi colección de artículos, bautizados *Etiqueta del tercer milenio*, traté de plantear un lado amable, útil y práctico de las buenas maneras.

Las normas de etiqueta no son una pose, no requieren de un doctorado especial. Son, en realidad, un reflejo del sentido común y una buena dosis de tacto para las relaciones en la sociedad.

Etiqueta no es formalidad. Por el contrario, es guardar las formas para moverse mejor en diferentes ambientes, es la oportunidad que todos tenemos de ofrecer un toque de cortesía que siempre mejora nuestra propia imagen frente a los demás y eleva la autoestima de quienes nos rodean.

Los buenos modales reflejan simplemente la necesidad de una estética en las relaciones que mantenemos los seres humanos.

¿Muy complicado? No, para nada.

Más allá del *gracias* y del *por favor*, uno puede aprender de manera muy simple ciertas normas para salir airoso de momentos incómodos, de situaciones diferentes e incluso en el día a día.

¿Cómo se sirve una copa de vino? ¿Cuál es el código para responder *e-mails*? ¿Cómo se sirve la comida en la mesa cuando tenemos invitados? ¿Qué hacer cuando nos sientan delante de un ejército de cubiertos? ¿Nunca ha estado incómodo por no sabía cómo comportarse durante una comida de negocios?

Estas situaciones no son rarísimas ni propias de la Europa victoriana. Todos los días estamos ante eventos que igual nos pueden hacer quedar como *ladies and gentlemen* o como mal educados. Siempre se puede decir que no, sin quedar como petulantes.

Conocer algunos principios de etiqueta es una excelente manera para desenvolverse con seguridad y confianza en cualquier ambiente.

Concebí este libro de tal forma que el lector encuentre un texto ameno, simpático y muy útil, con una serie de sugerencias, consejos, *tips* y advertencias para comportarse de manera exitosa en el plano profesional, familiar y social.

Los buenos modales responden a la visión de cómo encarar la convivencia social. Entre extraños, la etiqueta permite comenzar una relación en un territorio más amable. La consideración del otro deja una sensación de respeto, de valoración. En el mundo de los buenos modales las personas son merecedoras de respeto. ¿Es esto anticuado? No, para nada.

¿Qué se necesita para ser un cultor de las buenas maneras y la etiqueta? No mucho. No hacen falta actitudes almidonadas ni formalismos arcaicos. Lo primero es sentido común, lo segundo es respeto y lo tercero es amabilidad. A esto le sumamos algunas licencias especiales (por ejemplo, el uso de los cubiertos) y algunos *tips* (¿a qué temperatura solicitar un vino?) y ya estamos a la altura de cualquier diplomático o miembro de la realeza.

¿No me cree? Pues lo invito a navegar en estas páginas, en esta guía que, con sentido común, respeto y amabilidad, quiero compartir con ustedes.

Deby Béard

Capítulo uno

Celebremos alrededor de una mesa

Lo que bien comienza, bien acaba. Como todo lo mejor de la vida, el punto de partida de una reunión informal con la familia y amigos o una cena en un sobrio ambiente de negocios, es siempre la idea de hacer coincidir en un mismo tiempo y espacio a aquellas personas cuya presencia es importante para nosotros. Todos aquellos, que bien pueden ser muy pocos, cuya valía queremos honrar— de la misma manera que se ha hecho desde generaciones inmemoriales— alrededor de una mesa compartiendo el pan y el vino.

Un buen principio: el ABC de la invitación formal (y de las otras)

Toda gran celebración comienza a la hora de hacer o recibir la invitación a participar de este momento porque siempre nos toca estar en alguno de los dos lados de la historia: como anfitriones o siendo invitados a contribuir a la celebración con nuestra presencia.

En cualquiera de los dos roles, hay una serie de recomendaciones protocolares que seguir para no cometer errores desde el principio, que después pueden desencadenar en situaciones y malentendidos difíciles de aclarar que siempre son desagradables.

Deberes de anfitrión

El anfitrión es quien tiene el mayor interés en que ese acontecimiento especial que desea celebrar resulte perfecto. Por eso debe poner especial atención en la preparación del mismo, desde el momento mismo en que se decidió a organizarlo. Por esa razón, las invitaciones formales deben enviarse tres semanas antes del evento si se trata de una reunión semiformal, como una cena entre amigos, un coctel, el lanzamiento o presentación de un proyecto e incluso la inauguración de un nuevo negocio. El plazo mínimo de anticipación para el aviso de un evento formal, como una boda, debe extenderse un poco más y cuatro semanas es lo mínimo aceptable.

Aunque suene obvio, vale la pena enumerar los elementos que deben incluir nuestras invitaciones para que sean recibidas con beneplácito: el nombre de los anfitriones, la frase de invitación, el tipo de evento, el propósito del mismo, la fecha y hora exactas, el lugar, el tipo de vestuario que se requiere y las instrucciones para confirmar la asistencia (sí, el famoso *response s'il vous plait** o RSVP que se incluye siempre al final de la invitación).

*"Favor de confirmar".

Una atención refinada y comedida comienza desde la manera en que nos referimos a nuestros invitados: si se trata de una persona soltera se debe escribir sólo su nombre completo; si el llamado se hace a parejas, lo normal es poner en el sobre el nombre de la persona invitada " ... y acompañante", aunque si se sabe que irá en compañía de su cónyuge es posible poner " ... y Sra." o "... y Sr.". Además, las invitaciones se envían siempre al domicilio del interesado y nunca a su lugar de trabajo, a menos que el evento sea de una actividad empresarial tal como una inauguración, o la presentación de un nuevo servicio o producto.

Dedicar su debido tiempo a la elección de las invitaciones no es un detalle menor, aunque algunos lo pasen por alto porque el diseño de las tarjetas debe estar en armonía con el carácter del evento. Esos papeles son la primera imagen que la gente recibe de nosotros y de lo que queremos comunicar: sobria para demostrar solemnidad o fresca y creativa si la ocasión es más relajada e informal.

Si se trata de una boda, hay una actividad extra para los novios que es tan importante como la de hacer una invitación correcta: elaborar una lista completa de los regalos y de quienes los enviaron para que, días más tarde de la celebración, cada persona que envió un presente reciba una tarjeta de agradecimiento personalizada y firmada por alguno de los nuevos cónyuges.

Invitación con todos los elementos que no deben faltar.

Atención de invitado

Siempre es bonito sentirse incluido en un evento, saberse parte de un momento especial y haber sido tomado en cuenta para participar en un compromiso, sea de índole personal o laboral. Es por esa razón que la primera norma de protocolo que corresponde al invitado es responder de manera inmediata, ya sea para contestar sí o no; es fundamental ser puntuales. Tan pronto reciba la invitación, ubique el número telefónico o *e-mail* de RSVP y agradezca o excusa la misma. No está mal decir que no a una invitación, si indicamos simplemente que ya teníamos compromisos previos. Si se trata de una celebración a realizarse en un par de semanas, tenemos tiempo incluso de enviar una carta —es mucho mejor de puño y letra, siempre y cuando ésta sea agradable —acompañada con su tarjeta personal. La impresión es mucho mejor que sólo dejar un mensaje telefónico.

Cuando la invitación diga "formal", los hombres deben, sí o sí, vestir traje oscuro y las mujeres vestir de coctel elegante. (De igual manera, si nuestro nombre es el único que se encuentra en la invitación, se nos está invitando solos. No está bien llevar a nadie a nuestro lado, si no se indica que podemos hacerlo.)

La puntualidad es básica para un invitado: nunca se debe llegar antes pero tampoco debemos hacernos esperar. Si nos ponemos unos minutos en los zapatos del organizador, entenderemos la importancia de este punto.

En conclusión

Si seguimos estas máximas de las "buenas maneras", estaremos de cierta manera predicando con el ejemplo para que, estemos del lado del que estemos, seamos atendidos y correspondidos de la misma forma. Recordemos que nuestras acciones hablan mucho más de nosotros de lo que nos imaginamos.

Prepare un menú formal,
sin tantos formalismos

Una vez que decidimos convocar a una reunión, del tipo que sea, es normal que nos asalte un poco de nerviosismo cuando actuamos el rol de anfitriones. Mi consejo es que el momento de organizar una comida formal no debe intimidarnos. Una comida reconfortante es cualquier cosa sencilla que nos hace sentir bien cuando la comemos. Al respecto, siempre recuerdo una frase de la conductora estadounidense de televisión Oprah Winfrey: "Mi idea del cielo es una gran patata asada al horno y alguien con quien compartirla".

De esto se trata la elección de un buen menú: como anfitriones debemos conocer de antemano los gustos de nuestros invitados, sus necesidades alimenticias, sus regímenes médicos y sus razones étnicas y religiosas. Por eso, cuando organizo cenas en mi casa y con base en lo que conozco de mis invitados, pienso en las posibles afinidades, las incompatibilidades de caracteres o los celos subyacentes. Un poco de sensibilidad nos permite prever lo que ocurrirá durante la velada. Por eso considero de gran valía este consejo: no haga crecer demasiado su carta de invitados. He comprobado que, tanto en las reuniones que realizo en mi casa, como las que convoco en algún restaurante, son más cálidas las que congregan a pocas personas que aquellas de convocatoria multitudinaria pues la frialdad se nota en los diálogos impersonales y vacíos entre los asistentes.

Siempre planifico una comida formal imaginando una obra de teatro en tres actos: los aperitivos, la comida y el *pousse café*. Los ingredientes siempre se deben presentar en orden de intensidad: de lo más liviano a lo más pesado, de los sabores más suaves a lo más intenso, de lo menos aromático a lo más perfumado. Con estas premisas, sabremos ya que las salsas blancas se deben servir antes que las oscuras, el pescado antes que las carnes y entre éstas, las blancas antes que las rojas, y si hablamos de vinos, los secos y poco perfumados antes que los dulces y aromáticos. Una buena amiga solía halagarme diciéndome: "no sólo organizas reuniones amenas sino que logras con naturalidad la manera más atractiva de presentar los platos jugando con color, aroma y sabor". Ésta es la clave.

Deby recomienda

En cada una de mis reuniones sigo una regla de oro cuando llega el momento del burbujeante protagonismo del champagne. Como aperitivo, el mejor aliado es el champagne brut. La norma exige continuar con champagne seco y para el postre servir solo demi-sec.

Para que una reunión sea una combinación de placer para todos los sentidos, en la mesa nunca debe faltar el color y la ornamentación. Mi recomendación son los arreglos florales en cenas y comidas formales; los arreglos frutales deben reservarse sólo para las comidas.

Como una amante del vino que soy, participo de catas permanentemente y soy casi una evangelizadora de los placeres de esta bebida. Además, una reunión formal solo acepta bebidas con origen en la vid. Es por eso que el vino es uno de los protagonistas de mi "obra en tres actos", que más trato de consentir. Casi todo el mundo coincide en que el vino blanco sabe mejor con el pescado y que el rojo acompaña mejor las carnes rojas. La verdad es que el excelente "maridaje" (¡palabra indispensable en el vocabulario de un buen anfitrión!) de comida y vino acepta hoy nuevas combinaciones, pero hay que recordar que lo único que importa es que estos dos elementos deben complementarse y ninguno sobrepasar al otro.

Qué hacer y qué no hacer

Hay una serie de recomendaciones que siempre debemos recordar al organizar una comida formal para que resulte exitosa.

Sí	No
• El primer plato debe ser frío (entremeses o canapés). • Como entrada se sirve caviar, paté, salmón, foie-gras a la mantequilla. • El consomé sólo se sirve en cenas.	• Nunca se deben ofrecer quesos como entrada, mucho menos de postre. • Los consomés están prohibidos en cenas formales. • La mantequilla está fuera de un menú de etiqueta.

Sí	No
• El pan es indispensable cuando se ofrece caliente y rebanado. • Las ensaladas se presentan para aderezar al servirlas. • Las carnes deben acompañarse con guarnición de verduras. • Si se sirven preparaciones calientes, los platos deberán estar tibios.	• Jamás sirva entremeses y embutidos en una cena. • Descarte de su menú las papas con pescado. • Nunca se sirven dos carnes rojas o dos blancas en el mismo evento. • Evite servir dos salsas similares, con ingredientes idénticos o del mismo color.

A la mesa, pero... ¿a cuál?

Sus mesas estaban a rebosar para contentar la vista,
y no tanto para alimentarse de las delicias.
William Shakespeare

Si bien es muy importante lo que ocurre del mantel hacia arriba también es importante conocer las reglas de este elemento de cuatro patas concebido en el siglo XVIII, y alrededor del cual se desarrollará la "obra en tres actos" de la que hablaba. La mesa es un punto de encuentro, un símbolo de hospitalidad, un área que puede usarse para cerrar un acuerdo, comenzar una amistad. Es un sitio en donde con seguridad cada uno de nosotros recuerda haber pasado algunos de los mejores momentos de la vida. La forma y el tamaño de la mesa dependen, a la vez, del espacio del que disponemos y del número de personas que deseamos recibir.

El arte de recibir

La perfección gastronómica puede alcanzarse con estas combinaciones: una persona comiendo sola, generalmente recostada en un diván; dos personas, no importa de qué sexo o edad, comiendo en un buen restaurante; seis personas, no importa de qué sexo o edad, comiendo en una buena casa.

M. F. K. Fisher

Entre los eventos a los que he asistido, realicé un exhaustivo listado de cómo son las mesas, cuán útiles resultan y cuáles son las más recomendadas para cada ocasión pero podemos considerar que para eventos protocolares se tienen en cuenta cuatro formas básicas:

La mesa cuadrada

Ésta es la forma que eligió uno de mis socios para una reunión de trabajo muy formal con potenciales inversionistas. Éste es mi formato consentido porque ofrece al mismo tiempo elegancia, comodidad y, si nos atenemos a cuestiones de pura practicidad, los comensales no tenemos contacto por debajo de la mesa, lo que evita situaciones que pueden devenir en incomodidad.

La mesa redonda

Fue la selección hecha por una firma de cosméticos para hacer su primera presentación a un grupo de periodistas locales. Es una forma un tanto más aparatosa y, por lo tanto, más difícil de acomodar. Sin embargo, resulta más cordial, ya que todos los invitados pueden verse directamente y se reduce el riesgo de que se sientan aislados.

La mesa rectangular

Es muy adecuada para una reunión como la que sostuvieron los directivos de una compañía automotriz, previa al lanzamiento de un nuevo modelo. Me pidieron este formato básicamente porque es cómoda para discutir o poner sobre la mesa, valga la expresión, temas de índole laboral. Por eso es una de las más usadas, y la mejor es aquella cuya medida supere un metro de ancho, para permitir la correcta disposición de los platos y demás elementos de una comida.

La mesa ovalada

La seleccioné como la mejor alternativa para preparar una junta con diferentes miembros consulares porque reúne todas las ventajas de las mesas rectangulares y de las redondas. Sólo hay una recomendación que no se puede obviar: es importante medir con exactitud el espacio en donde se ubicará para poder colocar a todos los comensales con comodidad y evitar que se sientan apretados en sus lugares.

Deby recomienda

Dar la vuelta a la mesa era una costumbre de antaño en un evento formal. Consistía en que el anfitrión comenzara la charla en la mesa con el invitado sentado a su derecha y éste hacía lo mismo con su siguiente compañero de mesa. Durante la comida, el anfitrión dirigía su charla hacia el invitado de la izquierda y éste repetía la acción en el mismo sentido. De esta manera todos se involucraban en la reunión.

Hoy ya no es tan usado este sistema de vueltas, y en las reuniones formales se permite que el anfitrión hable indistintamente con los invitados a ambos lados.

¿Sábana romana? No, el mantel

La importancia del mantel me resultó evidente, de manera casi literal, al vuelo. Fue cuando observé a un diligente mesero en un elegante restaurante hacer flotar los manteles sobre cada mesa y, con un movimiento certero, colocarlos con precisión. Eso bastó para despertar mi curiosidad sobre la historia y el significado de este elemento, fundamental, de la mesa.

La génesis del mantel se remonta a Italia. La madre de los manteles se llamó *gausape* y era una larga tela que hacía las veces de servilleta, toalla, sábana y mantel para los romanos, quienes comían cómodamente reclinados en sus sofás. Recién en el siglo V, con la generalización del uso de la mesa, el mantel se convirtió en un elemento de lujo, sólo permitido en las reuniones de las clases sociales altas. Su relevancia en la mesa era tal que algunos historiadores afirman que, en la Orden de los Benedictinos, de origen italiano, había una regla de oro: todo monje que llegara tarde a la mesa debía comer solo y sin el beneficio del vino y del mantel. Desde entonces hasta nuestros días, los manteles son los intermediarios entre la vajilla y la mesa. Son la escenografía que completa la mesa, el vestido que realza las copas y el decorado de los platos y sirve como fondo y soporte para los cubiertos.

Deby recomienda

El mantel de damasco blanco es el mejor aliado para ocasiones de todo tipo, formales o informales. Las opciones de telas son el algodón, el lino, el olan de lino, la batista y los encajes; estos últimos se ven mucho mejor con una tela contrastante debajo. Una rica tela de brocado o moiré dará un inesperado toque de buen gusto a su mesa.

En nuestros tiempos hay manteles para cada ocasión: para la comida cotidiana, para el té, para almuerzos, para comidas, para cenas, para eventos informales y para reuniones formales. Cada uno tiene sus características particulares que conviene recordar para dar más presencia a nuestra mesa:

Manteles para el almuerzo

Son bienvenidos los colores en cualquier intensidad y se permiten combinaciones originales de tonalidades y texturas. Es un momento de brillo en la mesa.

Manteles para la hora del té

La gran diferencia es el tamaño de las servilletas, más pequeñas que las habituales, y que se adecuan a los manteles delicadamente bordados, como una reminiscencia de los antecedentes europeos de este ritual.

Manteles para una comida o cena

Lo más recomendable es utilizar un mantel blanco que debe caer 30 centímetros por los lados de la mesa.

Manteles individuales

Están a la orden del día en restaurantes informales. Aunque parezcan un elemento propio de la última parte del siglo XX, tienen una historia centenaria. Los primeros nacieron en Londres en el siglo XVII y fueron el invento de un inglés llamado Doyley. Ya un manual de etiqueta de 1906 los aceptó como un nuevo elemento que permite mantener limpia la mesa. En la mesa de personas que comen solas o de familias que lo hacen a diferentes horas, los manteles individuales son también una manera de ordenar y dar color a las mesas.

Los tamaños de los manteles dependen de la cantidad de comensales: si se trata de un evento para doce personas se utilizan manteles de 2.74 m, en cambio si se trata de una reunión de seis a ocho comensales, se usan de dos 2.28 m. En cualquier caso, un mantel no debe presentarse con muchos dobleces o pliegues que hagan evidente que estuvieron guardados. Solamente se permite el del centro. Es por ello que lo más recomendable es planchar el mantel con anticipación, poco antes de ponerlo a la mesa. Y antes de poner un mantel, tome la precaución de proteger la mesa con una tela afelpada o acolchada que cubra toda la superficie y que caiga unos diez centímetros de cada lado, puesto que el objetivo principal es atenuar los ruidos del servicio de platos y cubiertos, así como proteger a la mesa de los efectos de platos y demás utensilios calientes.

Desde aquellos bacanales romanos a las cuidadas mesas de los restaurantes y fiestas contemporáneas, hay miles de años de distancia. Según los manuales de etiqueta actual, el mantel es un elemento que sirve para acentuar la belleza de la mesa y de su vajilla. Para los romanos, era el mejor manto para cubrir sus tentaciones epicúreas. No estaban tan alejados de la actualidad, ¿verdad?

El ejército de cubiertos en perfecto orden

Los cubiertos son herramientas fundamentales en una mesa contemporánea y para lograr su correcto acomodo siempre es necesario repasar algunos conceptos básicos, tal como si se planeara la estrategia a seguir para dar cuenta de nuestros platos valiéndonos de estos instrumentos de origen mediterráneo. Los egipcios utilizaban palillos de bambú o de oro, luego los romanos y más tarde los anglosajones fueron quienes introdujeron la cuchara. En la Edad Media se comía con los dedos y, en 1335, Eduardo I de Inglaterra impuso las primeras leyes de aleación de metales para fabricar cubiertos. Los orfebres debían inscribirse en la Corte y tenían la obligación de usar 900 gramos de plata por cada 100 de cualquier otro metal para darle maleabilidad a la plata. Por eso se le dice plata 900 o 925.

Al margen del material del que estén fabricados nuestros cubiertos, la manera en que debemos colocarlos en la mesa se basa en el sentido común, la comodidad y el confort. Puede parecer obvio pero debemos reiterar que la mejor manera de presentarlos junto a los platos es distribuyéndolos simétricamente, con el fin de dar a los comensales un orden al momento de buscar los utensilios para cada comida.

¡Alinearse!

Los cubiertos más cortos deben estar alineados con el borde superior al mismo nivel de la parte alta de los platos, pero a 2.5 centímetros del borde de la mesa; para facilitar la manipulación de los cubiertos, éstos deben ubicarse a unos 2.5 cm. del plato.

¡Ordenarse!

El orden consecutivo en que serán usados durante la comida es la mejor manera de colocarlos. Se comienza desde los extremos y se va avanzando hacia el plato. Del lado derecho se acomodan el cuchillo, y la cuchara a la derecha de éste. El filo del cuchillo debe estar orientado hacia el plato. Del lado izquierdo se ubica el tenedor, y si el menú incluye una ensalada como entrada, el tenedor para comerla se acomoda a la izquierda del principal. El protocolo acepta tanto colocarlos con los dientes hacia arriba, al estilo americano, o bien hacia abajo al estilo continental. Si uno de los comensales es zurdo, las posiciones de los cubiertos se invierten.

Cubiertos en la mesa

¡Presentarse!

Los cuchillos y tenedores para pescado se ubican en la mesa de acuerdo con su orden de uso. Si el pescado es servido como un *appetizer*, el cuchillo descansa a la derecha del cuchillo principal y el tenedor a la izquierda del tenedor principal.

Los tenedores y cucharas de postres se colocan de diferentes maneras, de acuerdo con el tipo de evento. Si se trata de una comida formal, el tenedor de postre se coloca a la izquierda del plato y la cuchara de postre en la derecha. Si se trata de una reunión informal, estos cubiertos se presentan en forma horizontal en la parte superior del plato. La cuchara por arriba del tenedor, con la empuñadura hacia la derecha, mientras que el tenedor se coloca más cerca del plato, con la empuñadura hacia la izquierda.

Deby recomienda

La cantidad de cubiertos depende del número de platos que se piense servir, pero aun así, nunca ponga más de tres cuchillos y de tres tenedores, para no saturar de elementos los lados del plato.

Los anteriores son los cubiertos principales, pero hay otros que deben tenerse en cuenta a la hora de hacer el acomodo de la mesa en ciertas ocasiones: la cuchara de sopa se coloca a la derecha del cuchillo más lejano al plato; las cucharas de té y café se colocan detrás del asa de las tasas. La empuñadura de las mismas debe colocarse como si se tratara de las manecillas de un reloj a las 4 en punto; las cucharas para cereales, en caso de servir un desayuno, se colocan a la derecha del plato, y el tenedor de pescado se coloca a la derecha de la cuchara para sopa. Se trata del único tenedor que se coloca a la derecha del plato.

Una vez que se domina la correcta presentación de los cubiertos, su uso es mucho más fácil, incluso para aquellos que no están tan acostumbrados al uso cotidiano de este batallón de soldados diseñados para facilitarnos el disfrute de la comida.

Para no parecernos a Di Caprio en Titanic

La mesa luce perfecta. Cubiertos de ambos lados, platos de ambos lados... pero ahora es el turno de ponernos en plan de invitados: ¿Mi pan o tu pan? ¿De quién es qué? Es una situación que todos hemos presenciado en las comidas, sobre todo cuando la mesa es pequeña y los cubiertos, platos y copas están demasiado juntos unos de otros, y como comensales dudamos, ¿cuál es mi plato de pan?, ¿cuál de éstos seis tenedores que me rodean será el mío?, ¿con esta sed, tantas copas... y sin saber cuál elegir? Seguramente nos acordaremos de aquella escena de *Titanic*, la película de James Cameron, en la que Jack Dawson, interpretado por Leonardo Di Caprio, pregunta, "¿Todos éstos son míos?" y Molly Brown, en la piel de Kathy Bates, murmura por lo bajo y le contesta: "Sí, comienza desde afuera hacia adentro y listo". Éste es uno de los consejos más sabios y breves que se pueden dar para comenzar a darle un toque de etiqueta a su vida y para no sentirse "fuera del juego" ante un arsenal de implementos para comer.

Deby recomienda

Al mejor estilo de la Molly Brown de Kathy Bates, y antes de que me encuentre un *iceberg*, les doy dos *tips* que no todo el mundo conoce y que son tan sencillos que no creo que los olviden:

Los líquidos siempre van a la derecha y los sólidos a la izquierda. Más rápido: las copas a la diestra y el plato de pan, condimentos y mantequilla del lado opuesto. Con este consejo no cometerá el error de sacarle la miga al pan del vecino y a no tomar el primer sorbo del Syrah de su acompañante. De afuera hacia adentro, los cubiertos se usan por orden de aparición de los platos.

Lo mismo que escuchó antes de ahogarse Jack Dawson, o Di Caprio para el caso, sólo sumando que los cubiertos de postre están en la parte superior del plato. Cuando haya terminado toda la comida y llegue el pastel, notará que los únicos tenedores y cucharas que quedan frente a usted están en lo que sería el norte de su plato. Sin más... úselos.

¿Por qué las copas a la derecha?

La colocación de las copas a la derecha no es un capricho que se arrastra desde tiempos inmemoriales. Tiene un sentido práctico y es una manera simple de recordar cuál es su ubicación en la mesa. Como la mayoría de las personas son diestras, poner las copas en este sector permite asirlas y llevarlas directamente a la boca. Si estuvieran a la izquierda deberíamos cruzar con la copa por encima de la comida, alcanzándolas con el vapor del plato y hasta cambiando el sabor de la bebida.

Si estamos sentados en una mesa formal, tendremos sólo para nosotros cinco copas. Sí, ¡cinco! Cada una es diferente entre sí, tanto en su formato como en capacidad y altura. ¿Cómo diferenciarlas? De manera similar a los cubiertos, el uso es de derecha a izquierda, o lo que es lo mismo, de afuera hacia adentro. Si la mesa está correctamente orientada y puesta, no dudaremos si recordamos que la que está más a la derecha del batallón de cristal es la copa para el aperitivo. Ésta es la primera que usaremos.

La siguiente en orden de aparición es la del vino blanco y detrás de ella está esperando su turno una copa más grande, con panza más pronunciada, reservada para el vino tinto.

A la cabeza del cuchillo, está la más grande de todas las copas presentes y como está a cargo de contener el agua, ocupa su posición a lo largo de toda la comida.

Detrás de todas las anteriores, está la más delgada, refinada y paciente de las copas: la de champagne. En lo personal, amo las burbujas antes, durante y después de la comida.

Copas en la mesa

Los que aportan sabor

Los que aportan sabor son la sal y la pimienta, literalmente, de una mesa y están ahí para usarse, pero si queremos denotar nuestra buena educación en etiqueta, antes de abalanzarnos sobre los dos condimentos, *pruebe la comida*. Desconfiar del correcto sazón que le dio al plato el chef o la anfitriona, es una falta de respeto. Si alguien en la mesa le pide que le alcance la sal, debemos pasar los dos recipientes (sal y pimienta) porque son un dúo que siempre debe estar junto.

El consejo más importante de todos es ser muy observador e imitar las acciones del resto de la mesa. Si dudamos en el tipo de copa, forma del cubierto u orden de la comida... observemos de reojo al comensal de enfrente e imitémoslo (si también luce dudoso, busquemos al que luzca más seguro de sus acciones y hagamos lo propio).

En la misma escena de *Titanic,* cuando en la comida a la cual Di Caprio llega de puro caradura, cuando sirven la ensalada, él ataca el plato con el tenedor de pescado. La pulposa Rose (Kate Winslet) lo mira y levanta el tenedor para ensalada, guiando con su mirada a Jack (Di Caprio) para que haga lo mismo. Es un instante, una milésima de segundo en que resuelve y oculta el error.

La segura servidora de la mesa: la servilleta

Lejos de ser utilizada sólo para limpiarnos las manos o los bordes de los labios, la servilleta tiene un protagonismo en la mesa que pocos conocen. ¿Sabía que es la herramienta perfecta para medir la extensión promedio de una comida? Bienvenidos al rectangular mundo de la etiqueta encerrada en las servilletas.

La servilleta, como he podido ver en muchas comidas a las que he asistido y una en especial en donde me concentré en observar cómo la usábamos los invitados, nos permite ver cuánto se aplica la etiqueta en cada mesa. Su importancia es relevante por el rol que le toca jugar: da por iniciada y terminada una comida. Si observamos con detenimiento cómo maneja el anfitrión la servilleta, no cometeremos errores a la hora de comenzar o terminar de comer.

Una vez que terminan las presentaciones, los saludos y pasamos al salón comedor para acomodarnos alrededor de la mesa, debemos ver al anfitrión tomar la servilleta: señal de partida, la clave para anunciar que ya todos podemos comenzar a cenar. Si miramos a nuestro alrededor, somos pocos los que entendemos este "sutil" anuncio. Entonces, primer paso: el anfitrión toma la servilleta... inicio de la cena.

Lo mismo ocurre al final. El dueño de casa quita la servilleta de sus rodillas y la coloca a su derecha. Esto significa que la cena se ha terminado. No pierda de vista este movimiento, como suele pasarle a la mayoría de los invitados, quienes continúan cenando a pesar de la clara señal enviada con la servilleta. Lo correcto en este segundo paso es que todos los invitados hagan lo propio, poniendo su servilleta en el lado derecho. Si lo hacemos, veremos cómo el resto de los invitados imitarán la acción.

No es necesario dedicarnos a la tarea de doblarla prolijamente, se la deja apenas plegada, de manera casi descuidada. Si nosotros somos quienes agasajamos a nuestros amigos en nuestra casa o en un restaurante, debemos saber que la duración de una reunión está en nuestra mano derecha y depende de cómo lo anunciemos con nuestra servilleta.

Nuestra atención debe estar no sólo en el inicio y el final de la reunión: debemos seguirla durante todo el evento. ¿Qué hacer con la servilleta y cuál es la mejor manera de usarla durante la comida?

Deby recomienda

> La servilleta se usa a lo largo de la comida pero pocos saben que es obligatorio hacer uso de ella antes de acercar una copa de vino o agua a su boca. Recuérdelo: antes de tomar la copa, use la servilleta para darle un suave paseo sobre sus labios.

La servilleta merece recato y reserva. Durante la velada, el mejor lugar es en las rodillas de los comensales. Una vez que tomamos la servilleta, que generalmente se encuentra en el lado izquierdo junto a los tenedores, la desdoblamos a la mitad en forma rectangular y la colocamos en nuestro regazo. En otras palabras, nunca debe ocurrírsenos, como suelen hacer algunos asistentes a estas reuniones, colocarla en el chaleco, colgárnosla de la camisa, anudarla a nuestro cuello o en el cinturón. NUNCA, por favor. Éste es el tercer paso: la servilleta siempre debe quedar lejos de los ojos del resto de los invitados.

En una reunión a la que asistí, un invitado a quien se le ocurrió colocarse la servilleta en su chaleco, no sólo cometió este error, sino que hizo un espectáculo de movimientos tratando de doblarla, acomodarla, prepararla y acaparó la atención con tantos movimientos a lo David Copperfield.

No, y no me canso de repetirlo de nuevo, no. Para colocar la servilleta en las rodillas debemos hacerlo con movimientos muy sencillos, doblándola en dos y nunca a la vista del resto, antes de esconderla sobre nuestras piernas.

Siempre me ha llamado la atención la manera en que acomodan las servilletas sobre los platos en los restaurantes y muchos anfitriones afectos al detalle en sus casas. Hay formas simples, pliegues elaborados, formas almidonadas, abanicos y hasta flores. Pero nunca me imaginé que podría llegar a reflejar la personalidad y hasta el nombre del restaurante. Esto me pasó en la inauguración de un restaurante cuyas servilletas eran del color usado en el logotipo del lugar y estaban dobladas de tal manera que simulaban la letra M, inicial del nombre del sitio. Imaginación, hasta para las servilletas.

Aquella cena en la que preferí entretenerme con las servilletas, no era aburrida. Sólo quise ver cuánto se había perdido de la importancia de este elemento de las mesas formales, y cuánto podemos todavía rescatar.

A mí me gusta hacerlo a la francesa

Sí, si hay algo que me atrae es hacerlo a la francesa. Probé a la manera americana pero todo es más frío... se puede intentar el estilo inglés... después de todo, en la variedad está el gusto. Un minuto: ¿en qué están pensando? Yo hablo de servir la mesa…

La última vez que alquilé una película protagonizada por Anthony Hopkins, me quedó grabada una escena en la cual la anfitriona, sentada a la cabecera de la mesa, servía desde su lugar a cada uno de los invitados e indicaba a quién le correspondía cada plato.

Me puse a husmear en mis libros de etiqueta y descubrí que a este estilo de servir la comida en una cena semiformal en casa se le llama servicio inglés. La búsqueda, Anthony Hopkins y los ingleses fueron el disparador de este tema.

¿Cómo servir en una comida informal?

Si el evento es informal, una buena manera de prescindir de personal y de no atarse a la tarea de servir es hacer circular las fuentes en la mesa, de un invitado a otro, de manera que la reciban por su derecha. Otra es la versión Anthony Hopkins, que da la posibilidad al anfitrión de no tener que levantarse y atender personalmente a sus invitados. Lo mismo debe mantenerse la costumbre de servir por la izquierda.

Si tendrá ayudantes, lo que da aun más libertad de olvidarse de servir y sólo pensar en disfrutar, el sistema es casi de manual: el personal servirá a los invitados por la izquierda.

Al final se sirve el anfitrión... ¿quién va primero?

El orden en que se servirá la comida a los comensales también es fundamental. Según la más ortodoxa de las leyes de protocolo, se debe servir primero a la señora que está sentada a la derecha del anfitrión, "y a la diestra sentado... el primer comensal". Las mujeres seguirán siendo la prioridad y se continúa después con el resto de las damas de la mesa; en el sentido de las agujas del reloj es una manera más ordenada de hacerlo. Luego vienen el turno masculino: se sirve primero al hombre sentado a la derecha del anfitrión y se termina sirviendo al anfitrión. Si la reunión no es formal, ni queremos estar pensando en la diestra, en las agujas del reloj, etcétera, la manera más simple es servir primero a la señora de más categoría y luego al resto, sin tantas preferencias. Y... sí, el anfitrión sigue en último lugar.

Si debemos poner atención a la manera en que vamos a servir, no podemos descuidar la forma en que retiramos los platos de la mesa, en especial si no hay personal de servicio ayudando en ella. Una manera ordenada es pedir a cada uno de los comensales que pasen sus platos para colocarlos en una mesa auxiliar y cubrirlos con una servilleta. Estos utensilios sucios se envían a la cocina y se reciben otros limpios para el resto de la comida, ya sea el plato principal, la sopa o el postre. Cuando se haya terminado con entradas, platos fuertes y postres, se levanta toda la vajilla de la mesa y sólo se mantienen en su lugar las copas para agua y champagne.

Deby recomienda

No olvidemos nunca esta regla de oro: nunca pase la comida de un plato a otro. No trate de simplificar la tarea porque es de muy mal gusto y castigado con la pena mayor según los cánones de etiqueta y protocolo.

¿Cómo lo hace Anthony?

Imagino que Anthony Hopkins, más allá de las luminarias, lo debe hacer al estilo inglés, como buen *lord* que ya es. Pero, con lo cosmopolita que es este actor británico, alguna vez debió haberlo hecho de alguna otra manera. Por ejemplo: a la americana, una de las más prácticas porque los platos llegan servidos desde la cocina; o a la manera francesa, usada sólo para reuniones con personal auxiliar de servicio y que, como en los grandes bacanales, consiste en recibir las bandejas que llegan con la comida para que cada invitado se sirva su porción. Ahora podemos decir que en la mesa están servidas todas las opciones. ¿Cuál prefiero yo personalmente? La francesa... Perdón Anthony....

La vida es un *buffet*

Mesas largas, bandejas plagadas de *delicattessen*,
libertad de movimiento y espontaneidad.
El buffet es una buena y casual alternativa.

Para el autor español Antonio Gala, *La vida es como un buffet desplegado en medio de un jardín. En él se dispone todo tipo de manjares fríos y calientes. Es preciso elegir. Saber primero que es lo que nos apetece y tomarlo, o dejar que sean los platos los que despierten nuestro apetito. Sin embargo, hay muchas personas que se satisfacen con mirar al jardín y recrearse en él hasta tal punto que, cuando tienen hambre, el buffet ya ha sido retirado.* Seguramente es porque la gastronomía es un reflejo de la vida, un espejo que se mira de ambos lados. Y si ya aprendimos cómo se debe atender el servicio de una mesa adecuadamente, podremos apreciar mejor las cualidades de un *buffet*.

Beneficios y reglas para un buen *buffet*

La primera ventaja y la más importante, es que no tenemos que pasarnos el día en la cocina y que no necesitamos armar la logística del servicio. Todo fluye *a piaccere* de los invitados. Un *buffet*, además, permite recibir más cómodamente a un mayor número de personas y entre otros atractivos para los anfitriones podemos mencionar que: implica menores costos, permite disponer a la vez todos los platos que integran la minuta, reduce el número de enseres a utilizar y requiere menos personal de servicio, además de que permite al anfitrión ausentarse cuando sea necesario, sin tener que anunciarlo a todos los presentes y hacerlo muy obvio. Para los invitados, este tipo de servicio ofrece mayor libertad de movimiento, disminuye la rigurosidad en la puntualidad que sí exige una comida formal, y ofrece mayor amplitud de opciones para que los invitados fumen en cualquier lado.

Deby recomienda

Para disponer un buen *buffet*, hay dos formas típicas de disponerlo: en el centro de una sala o adosado a una pared; siempre debe estar en un lugar de fácil acceso para todos los invitados. Al principio de la mesa, se colocan los platos y los cubiertos para que nuestros invitados avancen "armados" sobre las bandejas y los platillos, en tanto que el pan y las ensaladas se colocan en el otro extremo. Es muy conveniente colocar el *chafing dish* para mantener calientes los alimentos que deberán organizarse sobre las mesas en el siguiente orden: platos fríos y después los calientes, anteponiendo las carnes blancas seguidas por las rojas y los complementos al final. La gran clave de todas las confecciones es que sean platos fáciles de comer.

Pero por simple que suene, la preparación y realización de un buen *buffet* necesita cumplir con ciertos pasos que ayudan a minimizar los errores que, ya sabemos, serán siempre más comentados que los aciertos.

• *Timing*: después de una hora de coctel, debemos calcular unos 45 minutos para que los invitados recorran la mesa de platos y seleccionen qué es lo que van a comer.

• *Comodidad*: como los comensales no cuentan con una mesa para apoyar su plato y manejar la comida, todos los alimentos, incluidas las pastas, deben estar cortados en pequeñas porciones.

• *Temperatura*: si el coctel será al aire libre, es recomendable que elijamos platos que sepan bien a temperatura ambiente; si tenemos previsto servir platos calientes… así es como deben estar, calientes y fríos, cuando se seleccione un menú más fresco. Sí, parece una obviedad, pero no lo es, porque hay que considerar el uso de equipos para mantener la comida caliente o debidamente refrigerada.

• *Previsión*: calculemos siempre porciones extras, por ejemplo, pensar en dieciséis si se está esperando a doce comensales. Es un consejo fundamental, no sólo porque puede quedarse sin comida, sino porque no se pueden calcular con total exactitud las porciones que se servirán los invitados. No son pocos los que frente a un *buffet* cargan de manera exagerada su plato y luego abandonan el sitio antes de dar por terminada la comida.

Una vez que revisamos estos aspectos, cabe preguntarnos: ¿es menos complicado un *buffet* que una cena formal? La verdad es que demanda de mucha organización pero también, la libertad tanto para invitados como para sus anfitriones, es mucho mayor.

Comidas entre el hielo y el infierno

Cuantas veces se ha sentado frente a un plato servido en la temperatura incorrecta. ¡Reclame a tiempo! Está bien visto porque pasa lo mismo en los restaurantes caros y en cantinas de las colonias más pequeñas: un paté puede ser rico pero si está demasiado frío, uno no sólo no se da cuenta del sabor, sino que puede ser una fea señal de que no está en las mejores condiciones para su consumo. Es posible que sean —y sucede en los lugares en que ha mermado la clientela por motivos de público conocimiento— embutidos, patés, tomates rellenos, terrinas y ensaladas, entre otros alimentos comunes, que se guardan a veces hasta por dos o tres días. En el refrigerador esperan la llegada del cliente. ¿Por qué? Sólo para mantener la costumbre de tener menús largos, demasiado largos. Del refrigerador pasan a la mesa y aunque no estén al borde de dejar de ser comestibles, nos percatamos de que tienen gusto a refrigerador, es decir, una mezcla de sabores que no le corresponden.

El refrigerador tiene sabor

El gusto a refrigerador es tan antipático como el sabor a humedad en un vino por defectos del corcho. Perverso e indescriptible en el caso de los alimentos olvidados en el frío. Si le sirven un ceviche o un pescado marinado demasiado frío, es para desconfiar. Ceviche, sashimi y compañía deben ser cortados o marinados en el momento. Para servir y comer, no para guardar. Lo mismo pasa con los quesos Camembert y Brie que deben guardarse al frío, si no, se derrumban, aunque como a los otros quesos, resulta imprescindible sacarlos por lo menos una hora antes de su frío resguardo para que se recuperen y los sirvamos siempre a temperatura ambiente porque de lo contrario no despliegan todos los matices de sus sabores.

Con las nieves, helados y postres helados ocurre lo mismo: hay que tomar precauciones para evitar que se derritan pero es importante sacarlos del congelador un rato antes; no es elegante que nuestros invitados tengan que cortarlos a hachazos o que las cucharas transpiren ante la presión de uno de los comensales que trate de meterle un bocado al mismo. Las cosas demasiado frías, y esto es algo que también ocurre con el vino blanco, anestesian el paladar y hace que se esfumen sabores y aromas. Son sólo sombras de ellos mismos.

Cuidado, quema

La exageración en el sentido opuesto también hay que soportarla: *cuidado, el plato está caliente*, anuncia el mesero. *Ok*. Bien, las pastas y el *goulash* deben servirse calientes, pero nunca como para que uno deba esperar que la cazuela se pueda volver a tocar durante 15 minutos mientras el resto de la mesa ha terminado y otros comensales empiezan a fumar sobre nuestra sopa de cebollas aún humeante. Muchas veces el *soufflé* empieza a desmayarse antes de que lo podamos probar.

Si un restaurante no tiene la rotación necesaria para que los platos sean hechos en el momento, pues entonces deberían eliminar algunas "especialidades" de su carta, no sólo por problemas de quemaduras sino por honestidad. Yo prefiero que me avisen a tiempo que las langostas dejaron su espacio vacante en las sugerencias, que tratar de masticar una rara mezcla de chicle con sabor a mar. Esta recomendación debe seguirse en la mesa familiar. Si esperamos invitados, debemos asegurarnos de que la capacidad de refrigeración es la correcta para que los pasteles no se desarmen y desalineen ni para que el champagne tenga una costra de hielo.

Enroscándonos con las pastas

Son grandes compañeras del vino rojo, y por eso las pastas tienen también su lugar en el protocolo de la mesa. Son sensuales y románticas porque son platillos que despiertan sensaciones. ¿Quién puede olvidar esa memorable escena de la cinta *Hechizo de luna*, donde Cher y Nicolás Cage se aman entre harina, pasta y entorno italiano? ¿O en *Wall Street* cuando Martin Sheen prepara pasta y vino para su flamante prometida Daryl Hannah?

La pasta es esta genial preparación que llegó a las mesas de Europa directamente desde China y gracias a la curiosidad gastronómica de Marco Polo. Hoy, con el auge de la cocina fusión italiana, están otra vez en la cresta de la ola de las cartas de los mejores restaurantes, peleando cabeza a cabeza con las variantes del *sushi* y los mariscos. Ahora que si al llegar las pastas a nuestro plato, retrasamos nuestro ataque porque esperamos a ver de qué manera el resto de los presentes enfrenta este enroscado desafío, ahora es el turno de aprender cómo hacerlo con seguridad y elegancia.

Las variedades de pastas son infinitas, pero pueden ordenarse en tres grupos: cortas, como el *penne*; largas, como los *spaguettis*, y las planas, como la *lasagna*. La manera de comerlas está marcada por la variedad a la que corresponde, su largo y espesor, así como a la vajilla en la que viene servida: los *spaghettis* son los más clásicos exponentes del abanico de pastas y siempre se sirven en un plato hondo, razón por la cual se comen exclusivamente con tenedor; pero si servimos pasta rellena, como los *ravioli*, éstos llegarán servidos en un recipiente profundo, por lo que sólo se debe usar la cuchara. Una manera fácil de resumirlo es: al plato el tenedor y al tazón la cuchara.

Para comerte mejor

Si duda, en una mesa formal o en reuniones informales, acerca de la corrección de la costumbre de enroscar la pasta fina en el tenedor, les digo que… no hay razón para dudar: es correcta. La *vera pasta* debe girar un poco antes de llegar a la boca.

Deby recomienda

Para evitar accidentes y que seamos interrumpidos con una pregunta cuando están latigando los últimos centímetros del *spaguetti* en nuestra boca, yo recomiendo no tomar más de dos o tres varillas de pasta por vez. Es una tarea poco sencilla, lo sé, pero mantendrá la elegancia a la hora de comer estos platillos.

Tratadas hace no mucho tiempo casi de inmorales entre los platillos de las dietas para mantener una figura delgada, hoy las pastas regresaron por sus fueros. Para ello se debió demostrar que no son un golpe de calorías, que sí son un plato de grandes comidas y no una opción económica de menú, además de que son los mejores acompañantes de los vinos tintos. Un plato de *spaguettis* debe comerse con tanta inspiración que casi veamos a cada filamento enredarse en nuestro tenedor como una bailarina de tango en un 2x4 apretado. ¿Son o no son sensuales las pastas?

CCCC: comer-comidas-complicadas-correctamente

Puede resultar un motivo de angustia cuando estamos frente a una alcachofa, un huevo *poché*, un caracol o un mango y no sabemos cómo dar el primer bocado. Aunque parezca complicado, hay tácticas para atacar estos platos y salir victoriosos. Una frase de William Ralph Inge dice que "en general la naturaleza es una conjugación del verbo comer en sus formas activa y pasiva". La primer misión de la mesa es la de dar placer, y conocer cómo manejarnos con cada uno de los platos que recibimos es una manera de incrementar ese placer.

Aquí salta una primera duda: ¿usamos los cubiertos sí o no con estas confecciones difíciles? Hice un *brainstorming** con numerosos amigos para hacer un listado de los platos más complicados para comer,

*lluvia de ideas

con el fin de compartir algunos consejos para hacerlo sin problemas. La lista puede ser muy larga, pero aquí están algunos de los señalados como auténticos retos:

- **Alcachofas.** Sus hojas deben comerse con los dedos, una vez que han sido untadas en la salsa que suelen traer de base y luego se pasan suavemente por los dientes inferiores. Las hojas que ya probamos, se colocan en un costado del plato o en algún plato auxiliar si es que se dispuso uno para tal efecto. El corazón se debe comer con un tenedor.
- **Espárragos.** De acuerdo con su longitud o si están servidos o no en alguna salsa, estos largos vegetales pueden comerse tanto con cubiertos como con los dedos. En una comida formal sólo debemos usar el tenedor, pero en una comida informal no está mal comerlos con las manos.
- **Canapés.** Si estos aperitivos son servidos en una recepción o un coctel se utilizan los dedos para comerlos, pero si son servidos como entrada en una comida formal, deberemos usar los cubiertos.
- **Aves pequeñas.** Los *squab*, *quail* y *pheasant* codornices y faisanes se comen tanto con los dedos como con cubiertos. En una reunión formal nunca usamos los dedos y se remueve la carne con cuchillo y tenedor. En una comida informal la carne también se maneja con cubiertos pero es posible comer la carne pegada a los huesos acer-

cándolos con los dedos a nuestros dientes, sí y sólo si el anfitrión hace lo mismo.

Deby recomienda

> La manera en que comamos un alimento u otro de la lista de los difíciles, depende de si estamos en una comida formal o una comida informal. En una reunión formal es obligatorio usar sólo los utensilios y los dedos no tocan ninguna comida, excepto para comer rollos secos, galletas o frutas secas. En una reunión informal, se usan tanto los utensilios como los dedos: una hamburguesa se comerá con las manos, aunque si está servida al plato, deberá comerse con cubiertos.

Panes. Debemos partirlos y cortarlos antes de comerlos, dependiendo por supuesto de su temperatura, textura y tamaño. Los panes suaves como rollos o *muffins* se parten con los dedos. Luego se toma una parte y se la coloca en el plato exclusivo del pan y la mantequilla. Los panes más firmes también se parten en dos o en cuatro partes. En el caso de los que se sirven tostados, debemos untarlos completos con la mantequilla y dejarlos en el plato que les corresponde. Los *croutons*, debido a su textura grasosa, deben servirse con la ayuda de una cuchara.

Pastel. Si se trata de un pastel seco como *pound cake* tenemos que partirlo en pequeñas piezas y comerlas una por vez con los dedos. Si se trata de un pastel con crema o con una textura más húmeda, habremos de usar un tenedor. Los pasteles helados suman una cuchara para cortar las porciones con ésta antes de comerlo con el tenedor.

Mango. Una sencilla manera de comer esta perfumada fruta originaria de la India, es cortarla por la mitad con un cuchillo filoso y luego tomar y sostener cada mitad para extraer con una cuchara la pulpa.

Preguntemos antes

Siempre, antes de llevar algo a una cena, consultemos si los anfitriones están de acuerdo. Se los digo por una experiencia personal que involucra un rico *rissotto* de camarones, que decidí llevar a una cena de fin de año organizada con un grupo de amigos en la casa de uno de ellos. Para que no fuera una carga para nadie, decidimos que cada uno llevaría algo para la cena.

Cuando se acaba el año, la angustia, el apuro y el estrés hacen parecer que se acabará el mundo. Todo es un arrebato para terminar aquello que hemos venido haciendo a velocidad normal: queremos llamar a todos en nuestro directorio para desearles feliz año, corremos a buscar los últimos obsequios de compromiso que no queremos dejar de entregar y tratamos de que las pocas horas que le quedan al calendario no sean un caos. Todo lo anterior ha sido una manera de enumerar (y tranquilizar mi conciencia) las razones por las cuales me olvidé de hacer algo que recomiendo: consultar antes de llegar con una bandeja de comida.

Mi idea, y la de una amiga con la que hice mancuerna, era preparar un *rissotto* con hongos frescos para la famosa cena pero con todo lo complicado del día, fue difícil conseguir las diferentes variedades de setas para que el plato quedara completo. Fue cuando mi amiga pidió un consejo y se lo dí incompleto: "lo preparamos con camarones, que no es complicado y… ¿a quién no le gustan los camarones?" Caí en una trampa porque omití una de las recomendaciones que más repito: llamar a los anfitriones y consultarles si no hay ningún inconveniente con el plato que pensamos llevar.

Deby recomienda

Nunca debemos llegar con flores a una cena, a menos que sea romántica, porque obligará a la anfitriona a buscar dónde ponerlas, dado que siempre es una muestra de gentileza que queden a la vista. Guardemos este detalle para el día siguiente, cuando las enviaremos con una tarjeta de agradecimiento por la velada.

Ahora bien, ¿se lleva vino a una comida? Muchas personas acostumbran llevar un buen vino o champagne a una comida o cena. No está mal, pero hay una regla de oro: cuando entregamos la botella a los anfitriones, les debemos recordar que es para abrirlo cuando ellos deseen y que incluso apreciaríamos que lo disfrutaran a solas. Esto evitará que se compliquen porque seguramente ya tenían seleccionado el tipo de vino para cada plato y una nueva botella puede romper con el maridaje planeado.

Llegamos a la cena con la dichosa bandeja de *rissotto* con camarones. No puedo explicar la cara de espanto que hicieron la anfitriona de la casa y su hija cuando vieron nuestro obsequio. ¿La razón? ¡Ambas eran alérgicas al camarón! Como no había más comida extra, ambas se mostraron muy contrariadas para no hacernos sentir a las responsables como unas desalmadas envenenadoras de amigos. Fue un lío: algunos invitados comían *rissotto* y otros, en solidaridad con las anfitrionas, decidieron no tocarlo, mientras aquellas buscaban alternativas en el resto del menú para no pasar hambre. Por eso, cuando se decide que en una comida los invitados aportarán alguno de los platos o bien si de *motu propio* queremos llevar un obsequio a la casa, siempre tendremos que llamar antes y hacer la consulta respectiva. Así evitaremos poner incómodo a un anfitrión diabético a quien amablemente, y por no saber, regalamos una caja de bombones, o bien desorganizamos una cena cuando los dueños de casa han preparado durante horas un postre y arribamos con un gran pastel de una repostería famosa. Así que no dejemos que un camarón nos incomode o arruine una velada: una llamada puede servirnos para evitar que aquello resulte un desaguisado.

Shhhh, comamos en paz

Buenos vinos, comida excelente, temperatura adecuada pero... demasiado ruido. Gracias, pero aquí no me quedo. Me han invitado a comidas en las que he debido soportar la discusión de una pareja en una mesa vecina, las quejosas anécdotas de dos ejecutivos frente a mí o con un fondo musical varios tonos sobre lo normal que no sólo no cubre sino que estimula el nivel de los murmullos. Ni un excelente vino o un salmón preparado de manera excepcional logran minimizar estos problemas.

Porque cuando todo está perfecto en lo gastronómico, pero el ruido nos rodea, es mejor pedir un *doggy bag* y huir a un lugar más pacífico. Uno imagina que las personas que diseñan los restaurantes como adecuados templos del buen comer y el placer, piensan en la manera de crear ambientes serenos. La verdad es que no son pocos los que, a medida que se van llenando de gente, se convierten en ruidosas factorías.

Hay lugares donde el bullicio es parte de su estilo, porque no están pensados como espacios para la intimidad o la seriedad que requiere cerrar un negocio, sino que son sitios para comer bien, verse con amigos y listo. Los restaurantes de y para los jóvenes, que se han inaugurado en casi todas partes en los últimos tiempos, a partir de cierta hora comienzan a acrecentar su sonido ambiente con repiqueteos de monótonos temas *tecno*. Más allá de los conflictos generacionales, esta nueva moda no es un fenómeno local porque hasta los más vanguardistas establecimientos en París, capital indiscutible de la gastronomía más elegante y donde se respeta casi religiosamente, lo utilizan.

La música y el ruido en los restaurantes debe ser apenas audible, debe estar presente pero no ser notable, de la misma manera que el roble apenas se percibe en el vino. Pero hay de todo, y recuerdo un restaurante en dónde las *Cuatro estaciones* de Vivaldi se convertían en una infinita sucesión que no paraba de sonar hasta que los comensales ya no queríamos saber nada de música clásica. Algo similar ocurre en los restaurantes temáticos, como los argentinos: es interesante escuchar un tango suave pero resulta excesivo un ambiente de arrabal permanente y fuera de horario.

Silencio en la sala

Esta misma situación se puede dar fuera de un restaurante, en la casa de algún amigo. No son pocos los anfitriones que quieren "halagar" a sus invitados con la última versión vanguardista de algún tema hindú, con alguna colección novedosa de autores árabes que uno no tiene ni idea de qué se trata pero que debemos soportar con estoicismo mientras se van sucediendo los platos.

Puertas afuera o puertas adentro de su casa, es bueno marcar las prioridades: si uno se reúne a comer, la comida y la compañía son los protagonistas y la música es un telón de fondo que termina de armar la escenografía completa. La música nunca es el protagonista principal. Las estrelladas *Guías Michelin* de restaurantes deberían sumar como uno de los ítems de servicios a la música.

Please, shhhh

La música clásica incita al consumo

Expertos de la universidad británica de Leicester publicaron un estudio en el que afirman que la música clásica en los restaurantes mejora el ambiente y aumenta la generosidad de los clientes. Aunque suene insólito, Mozart, Bach y Beethoven dan al cliente la sensación de ser distinguido y acaudalado y los sonidos del pop o el rock, en cambio, no consiguen ese efecto. "La música clásica se asocia a la educación, el bienestar y la riqueza. Le da a uno la sensación de ser un poco más distinguido. En un restaurante, eso significa que la gente consume más y gasta más dinero", dijo el profesor de psicología Adrian North sobre el resultado del estudio. En éste realizado durante tres semanas en distintos establecimientos, se comprobó que los clientes que oían en la comida música clásica gastaban un promedio de 40 dólares, mientras que los que tenían un entorno de música pop gastaban 35 dólares per cápita.

¿Cheers? O lo que es lo mismo... ¡Salud!

Copas arriba. El brindis es una tradición tan antigua como las razones de ellos. Ahora sabremos cuándo podemos brindar, quién hace el brindis y cómo manejarnos en un brindis formal. Si recuerda la película *Casarse está en griego*, en una de las escenas finales, el padre de la protagonista sube a un estrado para dar un discurso. Esto es correcto. En una boda, el padrino o el padre de la novia son los encargados de hacer el brindis, pero ¿cuáles son las otras ocasiones en las que se pide en voz alta un brindis?

• En una cena de negocios, por la buena marcha de la empresa. Eso sí, no cualquiera puede levantar la copa. Lo correcto, de acuerdo con el protocolo, es que el brindis lo realice la persona que tiene el cargo más elevado de la mesa. Sin duda, el jefe, director, CEO[1] o CFO[2] de la firma.

• En una fiesta de graduación, por los éxitos profesionales. Aquí lo puede hacer cualquiera de los presentes en representación de la mayoría de los invitados.

• En un bautizo, por el porvenir del bebé.

• En una celebración deportiva. Este tipo de brindis lo realiza el presidente del club o bien de la persona de mayor rango en la institución.

• En el homenaje a un amigo. Aquí puede invitar al brindis cualquiera de los presentes en el evento aunque la mejor opción es que lo realice el organizador del homenaje.

Deby recomienda

Un consejo que nunca falla: lo breve y bueno, dos veces bueno. Siempre que uno comienza improvisando, no sabe cómo terminar y se enreda en oraciones sin saber en qué momento le dará el cierre. Algo que aprendí después de un par de sonrojadas en público, fue llevar un pequeño índice del discurso que habremos ensayado con anticipación y al que le puede agregar comentarios informales.

1. Cargo ejecutivo. Corresponde a las siglas en inglés de *chief executive officer.*
2. Cargo ejecutivo. Corresponde a las siglas en inglés de *chief financial officer.*

Por favor, no cometamos el error de muchos oradores de pasar nuestro brazo sobre el hombro del homenajeado mientras en la otra sostiene en alto la copa… eso es de pésimo gusto, la etiqueta dice que el resto de los presentes deben escuchar las palabras en silencio y con las copas levantadas. Cuando termina el discurso, todos debemos elevar las copas a la altura de la vista y beber al unísono. El brindis siempre debe realizarse después de que la primera copa de vino, o champagne, ha sido servida y nunca debe durar más de un par de minutos.

En un evento formal recuerde que siempre hay un brindis. Para llamar la atención de los presentes, está aceptado hacer sonar la copa con algún utensilio. Si no bebemos alcohol, existen dos opciones: levantar la mano como si tuviéramos una copa en ella o bien brindar con agua; no hay de qué preocuparnos: no trae mala suerte.

¿Y qué debe hacer el homenajeado tras un discurso? Simplemente bajar la cabeza y decir gracias. Hechos los brindis, los reconocimientos y los agradecimientos... a la mesa. ¡Salud!

A la salud de los griegos

La costumbre de elevar las copas de vino, chocarlas y decir "a su salud", proviene de los griegos y servía para demostrar a los invitados que la bebida no estaba envenenada. En la *Ilíada* de Homero, Ulises bebe por la salud de Aquiles. En la era cristiana, la gente creía que el Demonio ingresaba al cuerpo a través de las bebidas alcohólicas y que éste era eliminado con el sonido de las campanas. Es por ello que aun a la fecha, es común que en muchos brindis se choquen las copas para simular el sonido de las campanas y dejar escapar al Diablo del vino.

Luego de haber aprendido algo sobre la etiqueta de un brindis, no está de sobra que aprendamos algo más sobre las bebidas con las que se acompaña una comida o cena. No es necesario ser un conocedor de la vitivinicultura para saborear un buen vino, pero predisponer nuestros sentidos a hacerlo sí nos ayudará bastante a reconocer sus cualidades y valorarlas mejor.

Viejo *versus* nuevo

La decisión de qué vino utilizar en una cena o cuáles serán las bebidas a evaluar en una cata, nos obliga a aprender sobre las diferencias entre los vinos europeos y los de los nuevos corredores vinícolas mundiales. Si estamos familiarizados con el mundo del vino, habremos escuchado las palabras Viejo Mundo y Nuevo Mundo en lo que al origen de las etiquetas se refiere.

La división es muy simple. El primero comprende a aquellos que provienen de los países europeos clásicos: Francia, Italia, España, Alemania, Portugal, Suiza, Austria y Grecia, en los cuales el cultivo de la uva y la elaboración de vinos se remonta al tiempo de los romanos. El régimen de lluvias, el tipo de terreno y la composición de los suelos hacen que allí cobre mucha importancia el factor "terruño" o *terroir*. En cambio, los vinos del Nuevo Mundo se elaboran en países cuya inserción en la vitivinicultura se da por la llegada de inmigrantes europeos: Estados Unidos, Australia, México, Nueva Zelanda, Sudáfrica, Chile, Argentina y Uruguay, por ejemplo. A diferencia de los viñedos europeos, "los nuevos" nacen en regiones de producción que suelen ser extensas, llanas y con clima homogéneo, por lo que se da menos importancia al terruño y más al varietal y la marca.

Es por eso que también podríamos explicar esta diferencia, si decimos que los consumidores de vinos del Nuevo Mundo se guían más por la marca o la variedad de uva, mientras que los seguidores de vinos del Viejo Mundo tienen más en cuenta el lugar de origen. Los primeros beben vinos-cepajes o vinos-marcas y los segundos beben vinos-lugares.

Boom de productores

En los últimos veinte años se ha producido una verdadera revolución en el mundo del vino por la masiva incorporación de nuevos países al mapa de productores mundiales. Los vinos del Nuevo Mundo también atrajeron a un nuevo consumidor: más joven, menos pretencioso y más hedonista.

A pesar de que hay diferencias muy marcadas entre uno y otro país, en general los vinos del Nuevo Mundo son vinos bien elaborados, muy frutados, francos, de intenso color, de alta graduación, con taninos muy presentes y de crianza en barricas.

A diferencia de las restricciones que sufren las bodegas europeas, en el Nuevo Mundo las plantaciones son totalmente libres. Mientras los "del viejo" están encorsetados en regulaciones, los "del nuevo" experimentan con zonas, con uvas y con DO[1]. De cierta manera, la filosofía del Nuevo Mundo es "calidad antes de autenticidad".

Los vinos del Nuevo Mundo generalmente son creados para ser consumidos jóvenes, cuando la expresividad de sus aromas, la intensidad de sus colores y la persistencia en boca juegan un papel fundamental. Es ahí que se distinguen con claridad las respectivas notas aromáticas y tipicidades de cada una de las cepas. Esto se logra con innovación en las técnicas enológicas, por intermedio de una constante experimentación en cuanto a mé-

1. Denominación de origen.

todos de elaboración y debido a las nuevas tendencias referidas al manejo de viñedos. Los vinos del Nuevo Mundo son más fáciles de comprender al ser degustados y es por esa razón que están ganando día a día nuevos adeptos.

Sin duda, se ha abierto un vergel de oportunidades. Investigadores de la Facultad de Viticultura y Enología de la Universidad de California Davis descubrieron que el consumo de vino aumenta en el Nuevo Mundo mientras que el consumo per cápita declina en el Viejo Mundo. ¿Otra curiosidad? Los consumidores del Nuevo Mundo tienden a tomar vino de una calidad más alta pero en cantidades menores, mientras que los consumidores del Viejo Mundo toman vino más barato en cantidades mayores.

El ABC de una cata

Un buen vino es como una buena película: dura un instante y te deja en la boca un sabor a gloria; es nuevo en cada sorbo y, como ocurre con las películas... nace y renace en cada saboreador.

Federico Fellini

Una cata no es ni más ni menos que el análisis sensorial de la cualidades de un vino. En otras palabras, el acto de beberlo con atención y no de manera distraída, percibiendo cada una de las características que la bebida comunica. Es un proceso simple, sencillo y gratificante, que tiene etapas de aprendizaje y perfeccionamiento, que cualquier persona puede disfrutar.

No es un placer exclusivo de algunos, simplemente se necesita la predisposición sensorial para experimentarlo. Para los que aún no han probado la experiencia de una cata, vale la pena aclarar que no se trata de una práctica reservada para iluminados. La técnica está al alcance de todos porque catar es un acto voluntario y reflexivo que requiere tan sólo de algunas cualidades: buena memoria, capacidad sensorial, técnica de cata, que se aprende rápidamente y la capacidad para emitir un juicio exacto, que se logra después de haber probado varios vinos.

Con todos los sentidos

La cata en sí misma exige que todos sus sentidos estén atentos y que cada uno aporte los datos que terminarán por definir la personalidad del vino. Por eso, la línea crítica por cada uno de los sentidos tiene el siguiente orden:

• Ojos: con la vista podemos percibir el estado del vino (líquido, más o menos denso), su aspecto en cuanto a limpidez y fluidez, así como las tonalidades de su color, que es el mejor informante de la edad y estado del vino, pues su matiz o tonalidad refleja su grado de evolución.

Por lo tanto, es lógico que éste sea el primer paso: tomar la copa que contiene el vino y mirarlo atentamente usando como fondo un contraste blanco. Debemos ponerlo a 45 grados y buscar los destellos que otorga.

• Nariz: gracias al olfato se aprecian los aromas presentes en el vino, los cuales pueden clasificarse en tres: primarios, los que son procedentes de la uva; secundarios los producidos durante las fermentaciones, y los terciarios, también conocidos como *bouquet*, o aromas de crianza y que se generan mientras el vino descansa en barricas del roble.

Así pues, éste es el segundo paso a realizar en una cata: girar enérgicamente el líquido que tiene la copa y antes de que esté en reposo total, acercar la cara a la copa e introducir la nariz hasta que el borde de la copa toque nuestra frente. Respiramos hondo y dejamos que cada nota, cada aroma, inunde nuestra nariz.

• Boca: ayuda a percibir los aromas retronasales; las sensaciones táctiles de textura, fluidez, untuosidad y las sensaciones térmicas y, obviamente, los sabores: dulce, ácido, salado y amargo.

Así arribamos al tercer paso: tomar un pequeño sorbo de vino y una vez en la boca, pasearlo por cada rincón de nuestro paladar. Un buen secreto es aprovechar el líquido que tiene en la boca y aspirar un poco de aire a través de los labios. La llegada de este oxígeno potenciará al máximo los sabores del vino.

Las definiciones de un vino se cierran con lo que conocemos como persistencia. La suma del olor, del gusto y del tacto es lo que se denomina *flavor*. El equilibrio y la armonía de estos tres elementos es esencial para que un vino sea persistente, es decir, que permanezca todo lo percibido en la memoria.

La cata es un juego muy serio que pone a participar a todos los sentidos y recién terminados los tres pasos, uno tiene los elementos necesarios para decir si nos gusta o no un vino. Las catas son acciones altamente subjetivas, por lo cual no debemos sentirnos incómodos si notamos que un vino no nos gusta, cuando al resto de los presentes sí. Se trata del análisis sensorial del vino y, sobre los sentidos, nadie tiene la última palabra.

Deby recomienda

Las copas que utlizamos para catar o degustar un vino son de suma importancia. Deben ser transparentes, hechas de buen cristal y en el tamaño adecuado. Las copas *Rieddel* son las mejores para el mayor disfrute hedonista.

Capítulo 2

¿Etiquetado? ¡Sí! por tus buenas maneras

Al hablar de etiqueta nos referimos siempre a cómo debemos comportarnos cuando estamos frente a los demás. En el primer capítulo revisamos los aspectos que debemos cuidar para ser los anfitriones o invitados perfectos. Aprendimos ya desde los aspectos más básicos del orden de una mesa excepcional hasta los secretos para organizar una cata de vinos que seguramente será inolvidable para nuestros invitados. Sin embargo, no basta con saber exactamente qué cubierto usar y en qué momento, o cuál es el orden correcto en que debemos comenzar a servir y a conversar, si no tenemos bien claro cómo debemos comportarnos en todo momento. La etiqueta, para convertirla en uno de nuestros hábitos y no en un disfraz que nos ponemos cuando conviene, hay que vivirla todos los días e incluso en los momentos en que pensamos que nadie nos está viendo o que pensamos que no hay por qué quedar bien con nadie más. Debemos recordar que siempre estamos acompañados de quien debería ser nuestro más férreo observador y el más estricto de los correctores: nosotros mismos.

Los diez pecados
contra la etiqueta

Comenzaremos de una manera poco ortodoxa, porque si queremos aprender lo que debemos hacer, es importante primero reconocer aquello que por ningún motivo es aconsejable realizar. Lejos de los reflectores de las cenas glamorosas y cerca de cualquiera de nosotros, este primer apartado podría llamarse el decálogo para ser un fiasco alrededor de la mesa. Y así como la película *Cómo perder a un hombre en 10 días,* estelarizada por Kate Hudson, exagera los defectos que podemos potenciar para que alguien huya de nuestro lado, la misma forma pedagógica nos puede ayudar a crear nuestra propia película para mostrar cuáles son los pasos a seguir para convertirnos en un personaje inolvidable en una reunión, y no precisamente por nuestro *charm*.

Aquí el decálogo. Los diez pasos que nunca debemos llevar a cabo y que nos permitirán (si los seguimos al pie de la letra) no ser, además el centro de atención en una fiesta.

1. Sentarnos antes que cualquier otro invitado.

No se trata de ganar ningún premio por la velocidad en encontrar su asiento. En una comida, el anfitrión, la persona que amablemente solicitó nuestra presencia en su celebración, debe ser la primera en sentarse. Ella es la que dará la ubicación al resto de los invitados a la mesa.

2. Hablar con la boca llena y hacer otros ruidos bucales. Nuestras abuelas y madres nos lo repetían hasta el cansancio en nuestra infancia por una buena razón: una de las peores acciones en la mesa es hablar con la boca llena. Menos aún hacer ruido mientras masticamos. También está fuera de etiqueta estornudar, toser o sonarse la nariz frente a los demás comensales. La forma correcta es hacerlo hacia un costado donde no haya ningún invitado. Para prevenir el estornudo, apoyar nuestro dedo índice en el labio superior es de gran ayuda. No creo que sea necesario recordarlo, pero lo haré de todas maneras: eructar está fuera de etiqueta, protocolo y lugar.

3. Colgarse la servilleta al cuello. Nunca use la servilleta de corbata, con una esquina hundida bajo el cuello de su camisa, o amarrada por detrás de la nuca, al estilo de El Coyote, y a la vista de todo el mundo. La servilleta debe desdoblarse en dos y colocarse sobre las rodillas y se usa cada vez que vaya a beber agua o vino.

4. Usar los cubiertos como apuntadores. Si quiere seguir la más básica etiqueta, y no herir a ninguno de los demás invitados, no juegue en el aire con los cubiertos. Una vez que los usó, se deben quedar a los costados del plato. Bajo ninguna circunstancia se lleve el cuchillo a la boca (y tampoco lo use como espejo para revisar si tiene comida entre los dientes).

5. Levantar el dedo meñique al beber de un vaso o copa. Al asir una tasa, copa o vaso, la primera precaución que debe tomarse es la de no dejar en una posición incómoda al meñique. Al igual que los demás dedos, debe curvarse suavemente hacia el recipiente.

6. Hacer ruido con los cubiertos y la vajilla. Una de las esencias de la etiqueta en la mesa es la de comer tranquilamente. Los ruidos impiden la buena conversación por lo que se considera fuera de lugar golpear los cubiertos en los platos e incluso hacer demasiado ruido con los hielos en su vaso.

7. Engullir porciones gigantes de comida. Nunca llene demasiado sus cubiertos con comida. No podrá masticar ni mantener una charla. Las porciones deben ser pequeñas y siempre hay que masticar lenta y tranquilamente.

8. Soplar a la sopa para enfriarla. Siempre pruebe la temperatura de los alimentos poniendo una pequeña porción en el borde la cuchara. Si está muy caliente, nunca hay que soplar sobre ella ni sobre la porción que nos llevamos a la boca. La etiqueta exige paciencia: espere a que baje de temperatura.

9. Investigar nuestra comida e invadir platos ajenos. Somos comensales disfrutando de una buena comida, no antropólogos analizando una reliquia; por eso nunca debemos olfatear o desbaratar con los cubiertos la comida. Otra norma de etiqueta y de sentido común, es la de no invadir el espacio ni EL PLATO del vecino. Aunque sea el de nuestra pareja, nuestra potestad termina en el borde del propio plato. Nunca avancemos más allá.

10. Fumar entre platos y poner la ceniza en el plato. Aunque sea en un lugar dónde esta permitido fumar, no fume. Está fuera de lugar según la etiqueta y perderá los sabores con el paladar afectado por el humo. Nunca coloque las cenizas o colillas en la vajilla, se ve horrible y es una grosería hacia los anfitriones. Siempre solicite un cenicero.

Si hemos cometido al pie de la letra estas actitudes, seguramente no estaremos en la lista de invitados de nuestros amigos, habremos perdido alguna pareja por avergonzarla en público y en el restaurante que solíamos frecuentar nos atajarán en la puerta de entrada. Después de leer el decálogo de los pecados contra la etiqueta, seguro nos ha quedado claro que la etiqueta no es más que un orden al sentido común y el respeto a los demás. Exagerados quizá, pero siempre una buena manera de entender cuán importantes son las normas de educación y etiqueta.

¿Sabemos cuán soportables somos?

Ya aprendimos diez cosas que no debemos hacer nunca para evitar que nos borren de la lista de invitados a una reunión. Recordamos también que muchas de ellas están dictadas por el sentido común. Pues bien, somos animales sociales, nos movemos en manadas e interactuamos de manera permanente. Es por eso que existen las normas de etiqueta, que más allá de regular qué cuchillo usar o con qué mano acomodar la servilleta, sirven para manejarnos con comodidad y ser naturalmente agradables al entorno.

Todos sabemos que las primeras impresiones son las que cuentan y se transforman en el sello indeleble de cada uno. Pero, ¿cuánto conocemos de las *buenas maneras*? ¿Cuán capacitados estamos para evitar cometer uno de los diez pecados ya estudiados? Una manera sencilla de saberlo es haciendo el siguiente *test*:

1) Has sido invitado a una cena en casa de unos amigos:

a) Llegas cerca de la hora indicada, nunca en punto. Hay que hacerse esperar.

b) Apareces media hora antes; total, es casa de amigos.

c) Arribas a la hora exacta indicada para no interrumpir, ni antes ni después.

2) Te encomiendan hacer el brindis, a lo que tú...

a) Lo haces mejor antes de comenzar a comer.

b) A menos de que haya amigos íntimos, no nos atreve-mos a hacerlo.

c) Lo realizas al final de la comida.

3) Durante la comida, notas un pedazo de comida entre los dientes...

a) Pones tu mano frente a la boca y discretamente tratas de sacarlo con tu uña.

b) Usas un palillo.

c) Esperas al fin de la comida para correr al baño y en esa intimidad limpiarte.

4) La guarnición incluye papas a la francesa, a lo que tú...

a) Usas cuchillo y tenedor.

b) Al mejor estilo botanero, arremetes con los dedos.

c) Las comes usando tu tenedor, las papas no necesitan tanto protocolo.

5) El menú incluye ensaladas, por lo que no dudas en...

a) Enroscar las hojas, tratando de captar un buen bocado en el tenedor.

b) Cortas las hojas con tus dientes.

c) Te ayudas con cuchillo y tenedor de acuerdo con el ta-maño de las hojas.

6) Te atreves a invitar a otra persona que te interesa románticamente y…

a) Cuando llega la cuenta, esperas disimuladamente un par de minutos… si el otro está interesado, intentará pagar toda la cuenta, especialmente si es un caballero.

b) Hoy en día, cada cuál paga lo suyo. Es lo más justo.

c) Como tú has invitado, eres tú quien se encarga de pagar la comida.

7) Te presentan por primera vez a los padres de tu pareja...

a) Los tuteas de inmediato. Total, ya eres parte de la familia.

b) Los tratas de usted si son muy mayores, pero si son jóvenes no dudas en tutearlos.

c) Los tratas de usted, a menos que ellos te pidan expresamente que los tutees.

8) Te invitan a una boda y ya sabes qué vas a lucir...

a) Un atuendo super *chic*, que acabas de ver en una revista sobre el cuerpo de una celebridad muy famosa.

b) Un atuendo blanco.

c) Un traje sobrio y elegante, que no destaque sobre el de los novios.

9) Cuando una pareja sube las escaleras, siempre…

a) Va la dama por delante por ser mujer, sea al subir o al bajar.

b) Van codo a codo, sin importar de qué lado vaya.

c) El hombre siempre va adelante de la mujer, tanto al subir como al bajar.

10) Te encanta fumar, pero nunca lo haces...

a) En un restaurante.
b) Delante de no fumadores.
c) Durante una entrevista.

11) Eres tú quien recibe gente en la casa, por lo que...

a) Animas y das plática a tus amigos más íntimos.
b) Te mantienes en silencio la mayor parte del tiempo, para no interrumpir otras conversaciones.
c) Prestas la misma atención a todos sin hacer preferencias.

12) No puedes despegarte del celular, por lo que...

a) Como es tu casa, lo dejas encendido por cualquier urgencia (siempre las hay).
b) Lo tienes a mano y lees en la pantalla a quién sí y a quién no atenderás.
c) Apagas el teléfono móvil. Nunca lo dejarías encendido en la comida.

13) A la hora de ubicarte en la mesa...

a) Sientas a tu lado a tu amistad más cercana para poder platicar con tranquilidad.
b) Te da igual el lugar; te acomodas en el primer asiento libre.

c) Ubicas a tu derecha al invitado de honor. Es el sitio preferencial.

14) Terminas de comer y ya sabes que los cubiertos...

a) Los dejas bien acomodados sobre la servilleta y al lado del plato.
b) Arriba de los restos de comida, cruzados como señal de *terminé.*
c) Los acomodas paralelos, indicando las 4:20 si fuese reloj en la parte baja del plato.

15) Consideras que la comida ya ha terminado y la mejor manera de transmitirlo al resto de la mesa es...

a) Te paras, golpeas las manos e invitas a todos a tomar el café en la sala contigua.
b) Miras a los comensales y preguntas con educación... *Ya, ¿verdad?*
c) Como eres el anfitrión o anfitriona, pones la servilleta sobre la mesa. Con eso basta.

Resultados:

1) Mayoría de a: *Indomable.* Eres de esas personas que se manejan por la vida pensando sólo en sí mismas, moviéndote y actuando de acuerdo con cómo se presentan las situaciones. Se te recordará en los círculos sociales, pero no precisamente por tu refinada etiqueta y buenos modales.

Sólo basta con que mires un poco alrededor (imitar es una rápida manera de aprender) y no aventarte por la vida sin norte en tu brújula.

2) Mayoría de **b**: *Regular.* Ni puro Buckingham Palace, ni adolescente rebelde. Conoces como manejarte en el mundo del protocolo pero no siempre lo pones en práctica. Te mides y prefieres que tu contención pase por timidez, antes que por mala educación. Tampoco se trata de eso: uno debe brillar, ser correcto y no incomodar al resto. Necesitas pulir algunos detalles (¿cómo se te ocurre vestirte como celebridad en una boda? ¡Y de blanco!), pero vas bien. No te cohibas; las puertas del mundo no se abren para los tímidos. Leer un poco más y observar el proceder del entorno terminará por moldear tus buenos modales.

3) Mayoría de **c**: *Perfecto.* Un noble de cepa. Sabes todos los detalles de cómo moverte en el mundo de la etiqueta y el protocolo. Serás centro de atención de muchas personas y dejarás siempre a tu paso una buena imagen. Si se escaparon un par de respuestas **a** o **b** , ya sabes que no son la opción correcta y que pueden dejar una mancha en tu impecable manera de moverte en sociedad.

Dime lo qué usas y te diré quién eres

Lo que vestimos dice mucho más de nosotros de lo que nos imaginamos. No es ninguna novedad: somos lo que usamos. La ropa que elegimos revela muchísimo acerca de nosotros mismos, desde cómo nos sentimos con nuestra persona, a qué nos dedicamos, qué hacemos la mayor parte de la jornada y hasta la manera en que nos relacionamos con el entorno. Cada evento en nuestra vida tiene un "código de vestimenta". Desde la más tierna infancia hasta la edad adulta, la indumentaria es parte de nuestra propia evolución.

Por eso, a todos nos suena en la cabeza la misma pregunta cuándo recibimos una invitación, ¿qué me pondré?

Como vimos desde el inicio de este libro, las invitaciones bien hechas especifican la etiqueta de vestimenta que hay que llevar. Aunque más o menos entendemos los códigos, no está de más reforzar estos datos:

- Rigurosa etiqueta o corbata negra. Indica el carácter obligatorio de acudir de etiqueta (*smoking* ellos y largo ellas). También se acepta traje oscuro.
- Corbata blanca. Indica la obligatoriedad de acudir de *frac* a los caballeros, y a las damas el uso de un vestido largo o de coctel.

- Semiformal: traje oscuro, camisa blanca con corbata oscura y zapatos negros.
- Rigurosa guayabera: se trata de un evento semi formal pero que debe respetarse al pie de la letra. Ellas pueden llevar vestidos a media pierna.

En caso de que se trate de una reunión en la que habrá militares, la formalidad incluye la posibilidad de que acudan con sus trajes oficiales.

Si la invitación no aclara la vestimenta, sabiendo leer algunos detalles de la misma también podemos determinar cómo vestirnos. Los datos clave son: la hora del evento, el tipo de evento y el lugar donde se llevará a cabo. Si aún le quedan dudas, no está demás hacer una llamada al teléfono del RSVP y consultar acerca de código de vestimenta. Llegar a un evento tal y como indica la invitación es un acto de cortesía hacia quienes extendieron la invitación y de respeto hacia el resto de los invitados.

Somos lo que vestimos, así que no olvidemos nunca que somos nosotros a quienes quieren en la fiesta, no a las piezas más exóticas de nuestro armario. Ser sobrios con toques de originalidad se agradece. Querer lucir "todas las plumas" el día de la celebración es visto como fuera de etiqueta. Si la ropa dice mucho de nosotros mismos… pues que diga lo correcto.

En un restaurante,
en cita de trabajo

De lunes a viernes, muchos restaurantes de la ciudad se convierten por un par de horas en salas de reuniones, con comensales hambrientos de nuevos proyectos, sedientos de compartir sus logros y... también con hambre de comida y sed para saciar con una buena bebida. Muchos extranjeros de visita en México se sorprenden de lo comunes que son las juntas-comida en nuestro país y sobre todo lo extensas que pueden ser estas reuniones con un plato y un buen vino de por medio.

Hay detractores y fanáticos de las comidas de trabajo. Unos alegan que nunca son tan eficientes como las juntas sin comida, pero para otros es mucho más agradable sellar un acuerdo disfrutando de un buen plato que en un frío escritorio. Los que reniegan dicen que en las reuniones en restaurantes lo más importante se termina definiendo en los últimos 10 minutos del último café, y para los entusiastas es un gesto de cordialidad trasladar proyectos al equipo entre entrada, plato principal y postre.

La verdad es que como fanática de la mesa, creo que es un excelente espacio para distenderse y bajar presiones a una reunión. Eso sí, los extremos nunca son buenos, y no han sido pocas las veces que he protagonizado comidas de trabajo que se transformaron en cinco horas alrededor de la mesa. Por eso, hay algunos detalles que hay que tener en cuenta para que una junta restaurantera sea exitosa.

Ante todo, elegir correctamente el restaurante: orgánicelo en uno de confianza, en un sitio que ya conozca con antelación tanto para evitar sorpresas en el menú, como para poder gestionar con anterioridad la reserva del espacio y las características que le quiere dar al evento. Si se trata de una junta confidencial, lo más importante es que el restaurante elegido cuente con una sala reservada, o bien que se localice la mesa de tal manera que quede aislada del resto del local.

Otro detalle que debe comprobar perfectamente a la hora de la elección de un lugar es el ruido ambiental: si se trata de un restaurante muy ruidoso o pequeño, lo más probable es que consiga antes una afonía que un buen contrato.

A la hora del pedido

Como en cualquier junta de trabajo, no hay que perder tiempo y la logística debe pensarse hasta en el mínimo detalle. Desde la llegada, uno de los momentos en que más tiempo se desperdicia es cuando llega el mesero a tomar los pedidos. Si los comensales son pocos, no habrá problemas en que cada uno pida lo que desee, pero si se trata de una junta numerosa, es mucho más práctico que la comida se encargue con antelación teniendo en cuenta el gusto de la mayoría.

En el caso del vino, sea cual fuere el tipo de organización, el anfitrión le pedirá al invitado de mayor rango: gerente, supervisor o futuro socio, que elija a su gusto.

Hasta aquí la parte divertida del evento... aunque se aproxima uno de los *momentos de verdad*: la cuenta. Un consejo: nunca debemos pagar delante de nuestros invitados en el restaurante. Otra de las ventajas de organizarlo en un local de confianza es que puede solicitar que le envíen la factura con posteridad o que sea llamado con discreción fuera de la mesa para efectuar el pago correspondiente. De la misma manera, si somos nosotros los invitados, no es necesario que pretendamos pagar la cuenta ni transformar a ese momento en una lucha de "si, no… pero", "por favor", "cómo se te ocurre…" No. Es tan simple como que el anfitrión paga. Si se trata de una reunión de compañeros de trabajo, la mejor opción es compartir el monto de la cuenta, sí y sólo si lo han convenido con anterioridad.

Una vez un *trader* internacional me contó que en Dubai, por ejemplo, todos, absolutamente todos los contratos que cerraba con sus clientes terminan en un restaurante. Nada de *mails* previos, ni de fax... el socio, proveedor o vendedor tiene que estar dispuesto a trasladar su escritorio a un restaurante. Eso sí, son reuniones que pueden durar entre dos horas y una semana... Por eso, si va a hacer negocios a Medio Oriente, no sólo piense en el ruido del restaurante, en el menú, sino que nunca llegue con su boleto de regreso cerrado.

Deby recomienda

Para una comida de trabajo sin sorpresas tengamos en cuenta el tiempo de los invitados. Lo más probable es que tengan otras obligaciones, por lo que deberemos estipular un tiempo prudencial para la comida y RESPETARLO.

Aseguremos que los invitados estén al tanto de la duración de la reunión, para que puedan hacer una planificación adecuada.

Si somos anfitriones podemos consultar a nuestros invitados qué restaurante les gusta o darles unas dos o tres opciones para elegir.

Si ellos prefieren que nosotros elijamos, optemos siempre un restaurante cercano a las oficinas de quienes invitamos.

Sólo hagamos reservación en restaurantes que no sean demasiado ruidoso. La falta de comunicación a causa del ruido puede hacer fracasar el verdadero sentido de la reunión.

Tratemos siempre de llegar antes que nuestros invitados.

Los invitados difíciles

Cuando se invita a comer a alguien a un restaurante, atención con las fobias, el esnobismo y los caprichos de algunos invitados, a los que podríamos poner bajo la lupa, como una fauna especial. Gente maravillosa para hablar de una obra de teatro, para ir a jugar tenis al club o a recorrer 18 hoyos de golf; fantásticas compañías para ir a beber un *apple martini* a un lugar de moda, pero personas que se transforman en insoportables socios cuando salimos a comer. Muchas veces pensé que se trataba de inseguridad, pero después de tantos años de soportar este tipo de personajes, creo que se trata de personas que hacen lo imposible para diferenciarse.

Quiénes son

Una de las primeras manías que sirven *los difíciles* en la mesa de un restaurante es la acuática. "¿Agua natural o mineral?", pregunta el mesero. El personaje dificilito en cuestión dará mil vueltas para terminar pidiendo agua de la llave, pero en un *decanter Riedel.*

Y esto es sólo el principio, ya que las fobias para hacerse notar comienzan ahí. Una de las más comunes es la de cambiar el contenido, forma y fondo, esencia y existencia de los platos. "Tráigame por favor los langostinos empanizados, pero en lugar de langostinos que sea atún porque soy alérgica a los mariscos. Y no me los traiga con ese puré de hinojos porque tiene gusto a anís y detesto todo lo que tenga gusto a menta o a anís". La orden termina siendo de langostinos empanizados —pero de atún—, con puré de hinojo —pero de papas— y sin aceite de oliva, aunque la receta sea mediterránea porque el difícil está en su periodo de dietas y eso lo desconcierta. El chef que seguramente ya había planeado la estética de su plato de autor como una escenografía o un ballet, quiere morir.

Ni el sushi los redime

Si ya elaboramos una lista mental con un par de nombres, no está de más una recomendación extra: nunca hay que llevarlos a un restaurante japonés. "No, no sé cómo alguien puede comer pescado crudo. Peligrosísimo, trae cólera", recuerdo como uno de los comentarios más fuertes escuchados de la boca de un difícil.

No quiero izar mi bandera en contra de la gente que es complicada a la hora de la comida puertas afuera de sus casas. Sólo quiero poner sobre la mesa algunas acciones que son consideradas de mal gusto, más allá de estar fuera de la más mínima expresión de etiqueta. Además de que el difícil quiere llamar la atención con seudo toques de sofisticación, nosotros, sus víctimas de ocasión nos sentiremos muy incómodos.

Una de las principales bases de la etiqueta es la de facilitar y ordenar la vida en sociedad. Y va mucho más allá de saber dónde se pone el tenedor o de que lado de la mesa debe sentarte la persona de mayor importancia, se trata de tener sentido común y hacer sentir al resto de las personas con comodidad.

Deby recomienda

Más allá de criticar a los difíciles, como sus anfitriones debemos saber cómo actuar en una típica situación restaurantera: ¿Quién pide el menú?

Cuando un hombre y una mujer comen juntos, él es quién pide la carta en nombre de ella. Antes de que el mesero llegue, él puede preguntarle a ella qué va a pedir, para retransmitirlo al mesero, comenzando con el pedido de ella y luego con el de él o puede hacerlo ella primero directamente. Sin embargo, cuando es preciso escoger adiciones tales como aderezos de ensalada, tipo de pan o de patatas, la mujer debe responder directamente.

Si se trata de dos hombres o dos mujeres que van a comer juntos, el convidado pide primero. Si ninguno viene invitado, el de más edad tiene la preferencia. Cuando son dos o más mujeres y un hombre, éstas pedirán el menú antes que él.

Si en una reunión de comensales se ocupa una larga mesa, se solicitarán individualmente los menús, siguiendo el orden en que están sentadas.

Encuentros cara a cara

Los buenos modales y la conversación en el siglo XXI, donde abundan las comunicaciones en línea, también han evolucionado. Vivimos en la era de la comunicación, pero eso no significa que hoy "hablemos" más que nunca: el pragmático *e-mail*, el escueto lenguaje del *chat*, el minimalista canal de los SMS telefónicos. Estamos más conectados que nunca, pero eso no quiere decir que conversemos más. Y ya me dirán, ¿quién necesita reglas para hablar? Pues todos, ya que existe una etiqueta para la conversación que no encorsetan sino ordenan las relaciones *face to face*.

Algunas reglas claves para la conversación con alguien que recién conocemos:

1. No corregir ni la gramática, ni la dicción de nadie, ni con indirectas. Esto vale para el durante y después de la conversación. Mucho menos aconsejable es interrumpir a nuestro interlocutor para señalarle un error. Como dijo Oscar Wilde: "Siempre resulta tonto dar un consejo, pero dar un buen consejo es realmente funesto".

2. Hay que tener cuidado con los cumplidos. Hagámoslos en privado, ya que si hay una tercera persona, ésta pensará que no es digna de alabanzas. Y si nos elogian, aunque nos avergoncemos o sintamos fastidiados, hay que aceptarlos con sencillez: es muy feo menospreciar, negar o discutir elogios, que pueden ser realmente de corazón. Simplemente debemos limitarnos a dar las gracias.

3. En público, los mejores modales son los silenciosos. No llamemos la atención con carcajadas ruidosas, hablando a gritos o por encima de los demás.

Si quiere que la conversación fluya con respeto y cordialidad debemos:

- Conversar en forma amena. Nuestra voz debe ser amistosa sin tratar de controlar la conversación ni levantar el tono, para que las palabras suenen claras de manera calmada, relajada e informal. Seamos naturales y sinceros, aunque no seamos perfectos ni admirables.

• Compartamos opiniones, sentimientos y emociones con quienes nos rodean. No seamos demasiado reservados y hagamos saber a los demás lo que pensamos y queremos, siempre y cuando no vayamos a herir susceptibilidades. Por esa misma razón, observemos nuestra respiración, tono y modulación de voz. Tengamos en cuenta también nuestro movimiento corporal y expresión facial para evitar dar señales erróneas.

• No hay que ser categórico ni impositivo: no hay nada más molesto que una persona que se expresa como si fuera dueña de la verdad. Siempre es aconsejable mirar a la cara de la persona que tiene enfrente, tanto cuando le toca hablar como cuando escucha. Utilice una sonrisa como señal de aceptación y acercamiento.

Siempre debemos hacer un esfuerzo por escuchar de verdad y hacer sentir a la otra persona que es importante y nos interesa lo que dice. Quien sabe escuchar y se interesa por los sentimientos de sus interlocutores es respetado por los demás, y sus mensajes son escuchados con más atención y cariño. Lo mismo aplica para aquellos que saben aceptar opiniones diferentes aunque no las compartan.

Hay que respetar el espacio vital y los límites que cada persona quiere mantener, para que no se sienta invadida en terreno que entiende exclusivo. Si estamos cansados, apesadumbrados, aburridos o enojados, no hay que continuar en una conversación. Puede ser que digamos algo que dañe nuestra relación con otras personas por mucho tiempo. Y ante todo, la mejor señal de buenos modales en una conversación es escuchar más que hablar.

Deby recomienda

Suena a viejo proverbio pero es una máxima que sigue vigente hasta hoy: nunca trate de romper el hielo con temas vinculados con las creencias de las personas como religión, política, o directamente relacionadas con su intimidad, como el sexo y el dinero.

Protocolo de una *hot line*

Entendiendo *hot* como interesante, es hora de que conozcamos paso a paso la manera de ser inolvidables por teléfono. Se suele decir que el oído es un órgano que se distrae con facilidad, pero como cualquier otro de los sentidos, necesita de estímulos especiales para que lo percibido resulte grato y quede fijo en la memoria.

No estoy hablando de voces sensuales, aunque pensándolo bien, esas voces no se recuerdan, ni de diálogos íntimos. Muchas veces, la primera vinculación con alguien o el primer ingreso a una empresa es desde el teléfono: no olvidemos este detalle, ya que la primera llamada nunca debe convertirse en la última. Hagamos gárgaras a lo Pavarotti y bienvenidos al mundo *hot* de las comunicaciones telefónicas.

Cortesía en el teléfono.

Esa voz...

Me siento en su escritorio por unos minutos. Lo veo atender y decir de manera poco cordial: "Diga"... No. Es el momento de quitarle el teléfono, darle una palmada en la mano y pedirle que no vuelva a hacer eso. ¿Qué sucede? Que está dando la impresión de no querer comunicarse con nadie y de que quién llama es absolutamente irrelevante. Seamos profesionales y amables actuando con corrección hacia cada una de las personas cuyas llamadas recibimos.

Hay ciertas sensaciones que se transmiten por teléfono. Si atendemos con una voz monótona, plana y sin vida, estamos develando un estado depresivo. En cambio si gritamos y hacemos énfasis acentuando algunas palabras, estaremos demostrando a nuestro interlocutor de turno que tenemos mucha ansiedad. No dejemos que nuestra voz nos delate: actuemos con la mayor tranquilidad posible. Un toque de entusiasmo en la voz siempre será bienvenido y la persona del otro lado de la línea se sentirá especial. Si sonreímos al hablar por teléfono, aunque la otra persona no nos vea, transmitimos una claridad de voz que abre las puertas para un diálogo afable.

Nunca debemos dejar que el teléfono arda en timbres: conteste al segundo o tercer *ring*, eso da la sensación de atención y es agradecido por quien necesita rápidamente alguna respuesta de nuestra parte.

Lista de *ring tips*

- Si marcamos un número equivocado, ofrezcamos una disculpa antes de colgar
- Nunca debemos comer, beber, fumar o hacer ruido con papeles mientras hablamos con alguien.
- Hablemos directamente al receptor. Una de las claves de una llamada es que la otra persona nos escuche y no tenga que adivinar nuestras palabras.

- Cuando hayamos pedido a la secretaria una llamada estemos en línea cuando nos conecten con nuestro interlocutor.
- Al contestar el teléfono tratemos de sonreír: hagamos la prueba una vez y notaremos cómo su voz suena más placentera cuando lo hacemos.

La oreja pide un descanso

¿Quién no ha sufrido en carne propia la llamada telefónica de esos personajes que hablan sin parar, sin preguntar y sin dejar espacio para el diálogo? Es algo que nos pasa a cualquiera. Cuando nos topamos con algunos de estos personajes, simplemente tomemos la iniciativa de terminar con ese monólogo. Para ello, nada mejor que interrumpir, hacer un breve resumen de lo que esta persona quiere o busca, tomar sus datos y prometer devolver la llamada tan pronto como haya respuestas. Si el personaje no se queda tranquilo en estas circunstancias, debemos mantenernos firmes y reiterar la posición de ser quien controla la plática.

La línea está que arde

Hay días en que sentimos que todo el universo pasa por nuestro teléfono. Las llamadas son incesantes y nuestra capacidad física no puede con todo. Debemos pedir que todos los que llaman dejen sus teléfonos y sus datos, pero no olvidemos que las devoluciones de llamadas se deben hacer el mismo día.

Es cierto que el oído es un órgano que se distrae con facilidad pero no hagamos lo mismo.

De nuestra voz dependen muchas cosas y de la manera en que digamos un mensaje y el énfasis que pongamos en él, dependerá de que llegue correctamente. Si a todo esto le ponemos un poco de sensualidad, le puedo apostar de que ni nosotros ni nuestro mensaje ni nuestro teléfono serán olvidados del otro lado de la línea.

Deby recomienda

Un consejo: cuando llamen a su teléfono y usted no es la persona que buscan, nunca pegue un grito azteca preguntando: "¿Quién es ése (ésa)?" Menos aún deje el teléfono descolgado y solo, mientras corre por los pasillos en "desesperada búsqueda del solicitado". Si la persona por quien preguntan no está cerca, solamente discúlpese y anote los datos y mensaje del interesado.

La etiqueta celular
(del teléfono, no la suya)

Los celulares son un increíble invento que ha transformado las comunicaciones, pero también pueden ser una gran molestia en medio de una junta cuando comienza la variada ejecución de "tiririn tiririn tin tin tinnnn", "bippp bibip bipppp", "bri briiiii bri"… esos celulares sonando son el acompañamiento perfecto para una sesión de mala educación. Recuerdo una reciente presentación en el directorio de un corporativo, que cada vez que sonaba un celular... todos los presentes esculcaban sus bolsillos, todos se desconcertaban y la reunión perdió su hilo conductor varias veces.

Si bien es cierto que estar conectados nos da seguridad y nos ahorra mucho tiempo, también es importante saber llevar adelante ciertas normas de etiqueta que nos harán más grata la vida y, sobre todo, menos conflictiva la concreción de pláticas y reuniones labores.

Un celular debe estar apagado en reuniones, comidas, en el cine y en conferencias y presentaciones. Si su celular está prendido, tenga la precaución de: no contestar y apagarlo de inmediato si suena en un momento inapropiado.

Debemos usarlo en modo "vibración", y tener la precaución de avisar previamente al resto que espera mos una llamada (para que no crean que ha sido una descortesía). Si no hay más alternativa que atender una llamada, debemos ser lo más breves posible y hablar en un tono de voz regular, sin levantar la voz ni siquiera si hemos perdido la señal. De ser así, debemos apagar el teléfono y devolver la llamada una vez terminada la reunión.

Al hablar no debemos gesticular porque aunque nuestro interlocutor no pueda vernos, la gente que nos rodea sí. Y a menos que tenga problemas de audición, usemos tonos de timbre en nivel medio. No compita con la policía ni con la música.

Una vez que terminó la reunión, tome la responsabilidad de responder TODAS las llamadas, aunque sea para avisar que ya está al tanto de la misma y de que luego se comunicará con mayor comodidad.

El respeto por los demás es la clave. Si suena el teléfono y nos escapamos del centro de la reunión, hemos dejado en claro que el tema que estábamos debatiendo no nos interesaba demasiado. El celular es importante, pero no debe, bajo ningún punto de vista, reemplazar al contacto en vivo y en directo que estamos llevando a cabo. En mi caso, la disciplina llegó tras esa reunión de teléfonos ardientes: fue improductiva y desgastante para el organizador de la reunión porque se convirtió en una permanente repetición de imágenes de Power Point que volvían a congelarse tras cada llamada.

Deby recomienda

Así como existen adictos a Internet, que pueden llegar a sentir que el mundo se abre bajo sus pies cuando se cae la conexión, lo mismo ocurre con los "celularhólicos". Un celularhólico siente que pierde poder si no tiene el teléfono incorporado a su oreja. Los he visto padecer en espacios cerrados (con poca señal) cual fumador empedernido tratando de prender un cigarrillo en un aeropuerto norteamericano. Los he padecido en medio de una película tratando de explicar un tema menor mientras cientos de personas guardan silencio. Los he visto retorcerse en búsqueda de su aparato salvador, cada vez que suena un celular en una reunión (sea o no sea el suyo). La verdad es que en todas estas situaciones he sentido que se había cruzado la delgada línea roja del respeto. Ser prudente va más allá de cualquier norma de protocolo. Es una prueba fehaciente de respeto hacia los demás.

No se enrede, la red también tiene *netiqueta*

Los buenos modales no son sólo para la mesa, una reunión o un evento. También se aplican a la Internet, así que les doy la bienvenida al mundo de la *netiqueta*, un nuevo término que se está empleando cada día más, especialmente en Estados Unidos. Su significado tiene mucho que ver con la comunicación y la tecnología actual, cuyas herramientas esenciales son la Internet y el *e-mail.* Con el uso de estas nuevas vías de comunicación apareció una nueva forma de negociar y relacionarse; de allí que apareciera un nuevo lenguaje y un código muy particular que sentaron nuevas reglas y comportamientos.

Si alguien quiere dejar una buena imagen o replicar en su "entorno virtual" los buenos modales de su "entorno real", debe conocer el ABC de la *netiqueta.* Estuve investigando e incluso ya existen varias organizaciones que en la Internet promueven la netiqueta como la mejor manera de relacionarse en la red y definen el concepto como el conjunto de normas sociales que hacen la navegación y la comunicación mucho más agradable. ¿Quiere conocer sus principios fundamentales?

1) Aprendamos a compartir la información sin molestar a los demás.

a) No debemos enviar mensajes en *html* o formatos distintos al básico. Pesan más sin aportar gran cosa.
b) Es mejor no enviar ficheros adjuntos que no estén en modo de texto (*.text)
c) No solicitemos confirmación automática de los mensajes. Es de pésima educación cibernética, pues supone colocar al receptor en la disyuntiva de elegir entre que pensemos que no lo recibió y enviarnos información personal que no tiene porqué compartir con nosotros.

d) Por favor: evitemos el envío de correos masivos y, si recibimos uno, no tenemos por qué reenviarlo.
e) Nunca envíes mensajes en cadena.

Deby recomienda

> Nunca olvidemos que una red como Internet es siempre una comunidad de personas, no de computadoras.

2) Demuestra cortesía, incluso en los mensajes en pantalla

a) Debemos saludar antes del mensaje y despedirnos con nuestro nombre, exactamente igual que haríamos con una carta física. Es además necesario añadir una línea o dos al final del mensaje con información de contacto.
b) Tengamos cuidado al escribir la dirección de correo. Hay direcciones que llegan a un grupo pero la dirección parece que va sólo a una persona.
c) Utilicemos las mayúsculas y minúsculas correctamente. LAS MAYÚSCULAS DAN LA IMPRESIÓN DE QUE ESTUVIERAS GRITANDO. Escribir líneas y párrafos enteros en mayúscula es de pésima educación.
d) No hay que excedernos en el uso de "iconos". Eso no hará feliz al destinatario por verlo o lo hará pasar por alto un comentario impertinente.
e) Seamos breves sin ser demasiado concisos. Al contestar un mensaje, incluyamos el suficiente material original como para que se comprenda pero no más. Es una

mala forma contestar un mensaje simplemente incluyendo todo el mensaje anterior: borra todo el material irrelevante.

e) El *mail* debe tener un título (*subject*) que refleje el con tenido del mensaje.

f) Si piensa que la importancia de un mensaje lo justifica, conteste de inmediato para que el otro sepa que lo ha recibido, aunque vaya a mandarle una respuesta más larga luego.

Lo cortés no quita lo valiente. Nos hace mejores conductores

El protocolo también se mueve en cuatro ruedas: por lo tanto, es momento de conocer las bases de la etiqueta en el coche porque además en México existen ciudades extensas y nuestra capital es una de las más grandes de Occidente, en la que cada día quienes manejamos, literalmente nadamos en un océano de coches formado por tres millones de vehículos.

Escena de conductor agresivo.

Deby recomienda

> Que los claxons ni los gestos obscenos, ni los semáforos fuera de servicio o los peseros sin espejo retrovisor lo saquen de la buena senda.

Cruzar la delgada línea roja de la descortesía, presionados por los embotellamientos, la presión en las hora pico y la agresividad de algunos conductores, suele estar siempre a la vuelta de la esquina. Pero, basta con tener una pequeña lista de "lo que sí se debe hacer" para no sólo movernos con corrección, sino para convertirnos en ejemplos a seguir. En el manual de todo buen conductor deben estar presentes estas máximas:

a) Cuando manejamos y llevamos más personas en nuestros coche, debemos ser la última persona en subirse al mismo. Los caballeros abren la puerta a las damas y luego pasan por la parte trasera de su vehículo para tomar el volante.

b) Toda nuestra atención debe estar puesta en la conducción… en la acción de manejar. Evitemos maquillarnos, leer el periódico, revisar el contenido de nuestra bolsa, revisar los mensajes en nuestro nuevo *Iphone* o atender el celular mientras estamos conduciendo.

c) El claxon no es un arma. Por más que lo hagamos sonar con compulsión no existe ninguna relación directa entre los sonidos que nuestro auto puede emitir y la velocidad en la que pueda avanzar el tránsito. Por ello, no lo usemos cuando el semáforo se acaba de poner en verde para acelerar al coche delante de nosotros. También es de buena educación eliminar de entre nuestras expresiones de desesperación automotriz las señas obscenas, los gestos groseros, los gritos o los movimientos agresivos para ganar espacio en la calle.

d) Los bebés y los niños pequeños siempre deben transportarse en el asiento trasero, correctamente sentados y con su cinturón de seguridad. Evitemos ir dando instrucciones a los mismos desde el volante y mirando el espejo retrovisor con obsesión, ya que le quita atención a lo importante: usted en la calle con un pesado vehículo en pleno movimiento.

e) ¿Perdidos? Para consultar cómo llegar a algún lugar, lo correcto es estacionar correctamente el auto y con la mayor educación (el por favor es imprescindible) solicitar a un transeúnte que lo oriente. El "muchas gracias" es de rigor.

f) No es correcto ni seguro fumar, llevar la música como si fuera un antro móvil y menos si vamos acompañados en nuestro auto. Manejar no es ser el rey tras el volante: uno debe consensuar con el resto de los pasajeros para que se sientan bien recibidos y el viaje (largo o corto) sea placentero. Los malos olores deben estar desterrados del coche así como evitar perfumes muy potentes, ya que el espacio siempre es reducido y los aromas se potencian.

g) Orden. ¿Hacemos todos los mandados en un solo viaje o compramos todo lo que pensamos que podemos transportar? Use la cajuela para guardar las bolsas, cajas, paquetes (sin importar el tamaño).

Mantener en la cabeza estas recomendaciones nos ayudará a mantener un mejor ambiente en nuestras calles. Seguramente se reflejará también en el humor con el que estaremos en el trabajo y en la casa.

El elixir de la inmortalidad

El té no es una fuerte costumbre mexicana pero lentamente se está convirtiendo en una opción gourmet para amigos y reuniones de trabajo. Más si sabemos, como la poeta china Lu-Yu decía, que el té no es sólo un antídoto de la somnolencia, es un medio de ayudar al hombre a volver a sus raíces.

Aunque Marco Polo menciona el té y las casas de té chinas, Occidente no le prestó atención hasta comienzos del siglo XVII, cuando irrumpió en Europa como bebida divina y aristocratizante. Algo de eso hay. Las grandes ciudades europeas y americanas tienen casas especializadas en mezclas de tés. Verdes y negros, especiados, aromatizados con flores, de diversos orígenes. Y olvidemos a las anticuadas Casas de Té y sus cargados ambientes con toques ingleses y ambientes solemnes. Los ejemplos de hoy son espacios que irradian contemporaneidad y un estilo que agrada. Según me comentaba uno de los propietarios de estos lugares, desde el año pasado hay un resurgimiento absoluto del té entre los jóvenes y hasta para reuniones de negocios.

Las ventajas del té

Al té, la bebida más antigua y más consumida en el mundo después del agua siempre se le atribuyeron cualidades positivas. Y más ahora que se encuentran diferentes variedades e incluso con nuevos *blends*, mezclas de té con base de flores, frutas o especias y de té gourmet que se crean permanentemente para satisfacer los distintos gustos personales. Hay algunos tés tan perfumados como una fragancia Kenzo que una no sabe si beberlo, o ponerse unas gotas detrás de las orejas.

Una ayuda que la bebida ofrece para los encuentros de negocios, por ejemplo, es que, debido a sus componentes de teína, tanino y cafeína, ayuda a combatir el cansancio y la fatiga, por lo que después de beberlo el poder de reacción y concentración aumenta. El té es como el vino, cada *terroir* (terruño donde crece) le da una identidad precisa: el suelo, la altura, el clima, y tiene cosechas que pueden variar de un año a otro, y formas de ser degustado y transmitido, ¿se imagina vino en bolsista? ¿O instantáneo, como el café?

Los tipos de té

Aunque las hojas de té parezcan marrones, hay que distinguir dos variedades, negro y verde, según hayan sido sometidas o no a fermentación. El té verde que procede casi exclusivamente de China cuenta con el favor de los japoneses y los árabes, porque el Corán prohíbe toda bebida fermentada. Ni los japoneses ni los chinos endulzan el té pero los árabes lo hacen casi empalagoso por la cantidad de azúcar.

El té se presenta de tres formas: hojas, hebras o en saquitos. Sinceramente, el té por excelencia es en hebras; porque es el único que tiene las tres propiedades bien desarrolladas: aroma, sabor y color. Pero le aclaro, si uno va a hacer un *business tea*, es una herejía servir té en saquitos.

Identifica los diferentes tipos de té.

El protocolo

El té tiene un lugar protagónico en el patrimonio gastronómico europeo o estadounidense, pero en México hay mucho para mejorar. Los hoteles de categoría están comenzando a capacitar a su personal para este servicio específico y como les comentaba antes hay varios ejemplos gourmet en la ciudad que han llegado para desmitificar el recuerdo solemne del té para traerlo a los ámbitos más joviales y nuevos. La diferencia entre un té formal y un té informal son básicamente el equipo y los agregados (diferentes tipos de panes, sandwiches, dulces, pasteles) y de la vajilla. Los "buenos té" ingleses, en el siglo pasado, contaban con un mínimo de 15 mesas sólo para el ritual del té. En los té informales, las grandes protagonista son las hebras y por supuesto la razón de la reunión.

Cómo ser un fumador... educado

Todos sabemos que es dañino, sabemos que es perjudicial para la salud... pero lo cierto es que el cigarrillo es un elemento más en una reunión de negocios, en una cena formal o en una reunión informal. Y existe también una etiqueta para el cigarrillo.

Recuerdo haber asistido a un evento social con un muy buen amigo mío (muy fumador él, pero muy cuidadoso de los detalles de protocolo y etiqueta) que me mostró cómo se puede ser respetuoso con el cigarrillo.

Punto número uno: siempre preguntaba y pedía permiso para fumar antes de encender un cigarrillo. Pero mi amigo lo hacía siempre y cuando antes se cerciorara de tener un cenicero cerca, el cual nunca dejaba humeando. Apagaba completamente los cigarillos.

Punto número dos: ofrecía a su interlocutor de turno fumar con él. Es fundamental el recato: así como no es correcto comer con la boca abierta, por favor no hable con un cigarrillo en la boca, ni eche el humo a la cara de su acompañante.

La esposa de mi amigo, que sabe que no puede ir en contra de su vicio, ha tomado una medida interesante (y que adopté luego para mis reuniones): las velas.

Las velas encendidas en una mesa absorben el humo del cigarrillo, un detalle de buena anfitriona para evitar tener su comedor lleno de humo.

Pero eso sí, en una cena formal NUNCA encienda su cigarrillo con la vela de un candelabro de la mesa.

En casa de mi amigo hay (como no podía ser de otra manera) pequeños ceniceros en su mesa, pero ellos se usan sólo al final de la comida y siempre y cuando el café se sirva en el mismo espacio. Si el café se sirve en otra salón, éste es el mejor lugar para animarse a fumar un cigarrillo.

Please light me

Si está en un grupo que fuma, sepa que la etiqueta prevista para el encendido de los cigarrillos es la misma que la de las presentaciones: el hombre debe encender el cigarrillo a la mujer, el joven a la persona de mayor edad y el de rango inferior al de rango superior.

Hombres de pipa

La pipa es el vicio de la soledad y el silencio. No fumarla en público, sino cuando se tiene experiencia en mantenerla encendida. Si fuma pipa, no sacuda las cenizas en un cenicero de cristal, trate de buscar algo mas sólido (preferiblemente de metal).

Ese placer llamado pipa

Mucha gente se acostaría gustoso con la mujer de su mejor amigo, pero rechazaría con disgusto fumar su pipa.

Georges Courteline
Escritor francés

Días atrás me encontré con un amigo en un viaje, que me cautivó con su *hobbie*: fumar pipa. ¿Y por qué digo *hobbie* y no vicio? Porque sólo ver el ritual previo, intermedio y final de dedicarse a la pipa, alejó la imagen tradicional que tenía de un fumador.

El tabaco tiene tres tentáculos con los que nos toma por asalto: un efecto estimulante, uno calmante y un placer en sí mismo.

Desde la génesis de la historia siempre se le atribuyó al fuego poderes especiales. Griegos, romanos y mayas utilizaban hierbas que eran pulverizadas y esparcidas sobre el fuego para aromatizar las nubecillas de humo. Quizá las inhalaciones de humo realizadas en torno a las hogueras constituyan el origen de las pipas.

Ahondemos más aún: las pipas siempre estuvieron vinculadas a símbolos de paz y señales de amistad (¿se acuerda de las películas de *siuxs*?).

A diferencia de los fumadores de cigarrillos o habanos, los amantes de las pipas tienen en sus labios la prolongación de su personalidad: ellos son los que eligen el tamaño, el color, la textura, la forma, la procedencia, el estilo que mejor acompaña a su personalidad y también son los privilegiados que pueden elegir, crear y desarrollar los ***blends*** (mixturas) de tabacos que mejor los identifica. Dicen que la pipa es el perro de caza de los pensadores.

Los pasos del amante
de la pipa

Lento, siempre lento

Un consejo que me dieron varios fumadores de pipas: "es importante no hacer uso de la pipa de forma automática, como los fumadores de cigarrillos, pues entre otras diferencias, nosotros disfrutamos cada momento previo que hará un todo con la fumada y posterior limpieza; lo nuestro es en un rito, lo nuestro es en un placer consciente.

Fumada tranquila

La velocidad de la fumada debe ser lenta y tranquila, hay que relajarse y disfrutar pacientemente y con suavidad a la pipa. Es importante mantener el aliento suavemente alimentando el fuego; ocasionalmente succione el humo. No es necesario hacer grandes bocanadas de éste.

Un universo de sensaciones

Si todo el ritual de carga y encendido se ha realizado correctamente, con un leve gesto, casi sin aspirar, el humo inundará el paladar del fumador, el mejor premio al lento proceso de preparación.

Siempre en la boca

Es aconsejable acostumbrarse a fumar sin retirar la pipa de la boca, con el tiempo ésta se acostumbrará y evitará tener una excesiva salivación. Fumar con la pipa continuamente en la boca favorece la combustión, ya que parte del aire y humo expulsado pasa por la cazoleta.

Proceso continuo

La fumada debe ser siempre suave y continua, más que fumar en pipa, se trata realmente de respirar en pipa (por supuesto sin tragar el humo), saboreando el humo en la zona del paladar y post paladar de la boca, sin aspirarlo ni tragarlo.

Cómo guardar el tabaco

"Soy fumador de pipa desde hace mucho tiempo y a mis tabacos favoritos los guardo en una caja de acero", me comenta entre bocanada y bocanada mi amigo. Cuando él encuentra un tabaco verdaderamente bueno, lo almaceno de la siguiente manera: primero lo seca inmediatamente, ya sea mediante la calefacción, un microondas u otros métodos. Después, lo guarda en una caja de acero cerrándolo de modo que no le entre aire. Un secreto extra: transcurridos unos años, abre la caja y le coloca dentro una media papa durante tres días, y recién allí queda listo para fumarse. Un consejo extra: si el tabaco está demasiado seco o demasiado húmedo, no lo use. Sólo produce un intenso picor en la lengua.

Buscando material para este libro me tropecé con una frase de *Carmen,* de Bizzet, que me parece increíble y que a mi amigo le llenará de espuma las venas: "una pipa debe tener suficiente humo para sostener una barba, una barba que sostiene con mandíbula tenaz el cuello de la pipa. Eso da señas de un hombre buen amante".

Pipas famosas

Ernest Heminway
Gunter Grass
Albert Einstein
Sigmund Freud
Johann Sebastian Bach
Arthur Conan Doyle (y su hijo, Sherlock Holmes)
Vincent Van Gogh
Carl Jun
Pablo Picasso
Bertrand Russell
John Ronald Ruelen Tolkien
Mark Twain

E = mc²

Capítulo tres

De la teoría a la acción

La etiqueta, ya lo hemos venido recordando en cada uno de los temas a lo largo de este libro, se vive en todos los momentos de nuestra vida. Es la única manera de que los buenos modales y las maneras adecuadas de conducirnos en sociedad y con la gente que nos rodea se conviertan en un verdadero hábito y no en una manera impostada de relacionarnos con los demás. La naturalidad con la que actuamos cada una de las reglas y consejos tendrá su mejor indicio en la manera en que nuestros amigos, socios y en general todos aquellos con quienes nos relacionamos, nos describan en cada momento.

Por eso es buen momento de pasar a otra manera de aplicación de la etiqueta. Esa que utilizamos en nuestra oficina, en un espacio de entretenimiento como una cancha de tenis y hasta cuando descansamos. Sí, porque incluso en los momentos de *relax* hay formas adecuadas de comportamiento. Por supuesto, y no será sorpresa para los fumadores en todo el país, encontrar dos apartados especiales para este placer de hedonistas, que de un tiempo a la fecha ha visto circunscritos sus ámbitos de goce a unos pocos espacios.

Nuestro cuerpo también habla.
Hagamos que se exprese con propiedad

Es de todos conocido que una imagen dice más que mil palabras. Por esa razón, basta con que alguien nos observe caminar, sentarnos, cómo gesticulamos al hablar, el tono de voz que utilizamos, para que les digamos cómo somos y, muy importante en cuestiones de protocolo, cómo es que deben tratarnos. Es así porque nos desplazamos por la vida, nos vemos, movemos nuestros cuerpos en diferentes espacios, nos relacionamos y con ello se establece una forma de contacto que nos hace tocarnos, saludarnos y, con cada una de esas acciones, causamos diferentes sensaciones al pasar. Algunas de esas impresiones son agradables y no se olvidan nunca; y si por un error en la actitud se convierten esas mismas acciones en un factor de rechazo, nos costará mucho tiempo y trabajo cambiar esa primera imagen.

Debemos saber que nuestro cuerpo es como una herramienta, un arma de ataque cuyo parque es un conjunto de acciones que están ahí, almacenadas y dispuestas a ser usadas para agradar o para desagradar. Somos la consecuencia de una serie de circunstancias. La manera en que nos desplazamos en la oficina, en la calle y no sólo en los eventos especiales, dependerá de la gracia, delicadeza y armonía en los gestos que cada uno posea. No en todas las personas es un don innato porque hay quienes tienen ese *charm* que nos hace girar la cabeza cuando pasan cerca de nosotros o mantenernos embobados con el ritmo perfecto de sus palabras. La buena noticia es que aun cuando no hayamos nacido con esa habilidad natural, podemos cultivarla.

Lo más importante de esto es hacerlo todo con la mayor naturalidad. Una actitud demasiado rígida y almidonada es tan poco casual como la total soltura de cuerpo.

Movimiento natural, pero bajo control

Sentarse en un sitio tranquilo, donde haya mucho movimiento de personas es un requisito esencial para comprender la importancia del tema que nos ocupa, cientos de personas, elegantes, o por lo menos correctamente vestidas, pero casi siempre con muy poco estilo.

Por ejemplo, un buen consejo de modelo de pasarela que bien podemos repetirnos de manera cotidiana es: mantener la cabeza erguida y la mirada hacia adelante, los hombros no muy caídos. Tampoco es necesario que practiquemos la clásica escena de concurso de belleza en que una chica de largas piernas camina con un libro sobre su cabeza para mantenerlo en equilibrio en cada uno de sus movimientos. Sin embargo, si logra caminar con esa misma prestancia que le brinda caminar con la mirada al frente y el paso firme y bien plantado en todo momento, le conferirá la imagen de una persona segura de sí misma, confiada y digna de confianza, que no pasará desapercibida para nadie.

Mantener los ojos en lo que hay al frente de nosotros es sólo el principio; el resto del cuerpo va recto, sin inclinarlo y menos encorvarlo, porque eso dará impresión de timidez, de apocamiento. Los brazos no deben colgar de forma desgarbada, como si se tratara de dos bolsas colgadas de sus hombros. Sí se lee mal, de verdad, se ve mucho peor.

Al caminar, los brazos se balancean con naturalidad a los lados del cuerpo, déjese llevar y muévase al unísono percibiendo el ritmo natural de su cuerpo, sin hacer grandes gesticulaciones. Un consejo que aplica especialmente para los señores, pero que también será de utilidad para las lectoras: NUNCA se debe caminar con las manos en los bolsillos, ni del traje ni del pantalón. Es un ejemplo perfecto de falta de elegancia. Si acaso, y cuando el frío lo haga indispensable, puede hacerlo con las manos dentro de los bolsillos del abrigo.

Si quiere avanzar en la dirección correcta, por favor, no vaya por la vida arrastrándose. Es imperdonable, porque una persona elegante, por muy cansada que esté, jamás arrastrará los pies. Tampoco caiga en el otro extremo de dar zancadas como si estuviera en un desfile militar. Este consejo no es para dar risa; al contrario, es para adoptarlo de inmediato si no quiere que todos lo observen como una *rara avis* llegando a una reunión: lo correcto es caminar sin incurrir en una excesiva lentitud, como tampoco en una precipitación exagerada.

Deby recomienda

> En una primera entrevista entre un hombre y una mujer, es ella la que decide el contacto físico. Los hombres no deben estrechar la mano de una mujer, a menos que sea ésta quien extienda su mano en primer lugar.

Ya llegamos. Sentémonos como la gente

Recuerdo una ocasión, en un bar en una elegante zona de la capital mexicana, a dos ejecutivos, muy bien vestidos y de cara a su *happy hour* del jueves, en pleno fuera de lugar, o para usar un término más futbolístico, en *off side:* al sentarse, la primera impresión que me causaron fue la de que habían llegado de trepar al Popocatépetl. ¿!Qué es eso, señores!? No hice ninguna escena de histeria, pero no pude evitar pensar en lo terrible que se veían los dos importantes ejecutivos.

Al sentarnos, la postura no debe ser rígida, pero tampoco tan desgarbada que parezca que depositamos nuestro cuerpo en la silla con la delicadeza de un costal de harina. El respaldo de una silla, sí, es obvio, sirve para apoyar la espalda manteniendo la columna recta. Nunca se tire sobre la mesa, a menos que quiera que los demás piensen que acaba de correr 400 metros al lado de Ana Guevara, cuando en realidad lo que necesita es cerrar un acuerdo.

Un error común que analizaremos por género: el cruzamiento de piernas. Los hombres deben evitar a toda costa cruzar las piernas a la altura de las rodillas, tanto como separarlas de manera excesiva. Lo correcto es mantener los dos pies apoyados con firmeza sobre el piso, de tal manera que las rodillas se doblen formando un ángulo recto entre los muslos y las pantorrillas. Una razón más para no cruzar la pierna en una reunión: la suela de los zapatos no ofrece una vista agradable, por lo que no deben exhibirse en ningún momento. Por el lado de las señoras, aunque muchas lo hagan, tampoco es acorde con el protocolo que crucen las piernas a la altura de las rodillas, cuando lo pueden hacer a la altura de los tobillos con las rodillas juntas; en esta posición se evitan los disgustos causados por alguna forma incómoda del vestido o alguna postura que pueda resulta embarazosa para la persona que se tiene al frente.

El protocolo no es cuestión de género

Con la incorporación cada vez más activa de las mujeres al mundo de los negocios, es necesario saber que la etiqueta no depende del género. El protocolo exige que tratemos a ellos y ellas por igual. La revista *Harvard Business Review* publicó una interesante entrevista con Bárbara Patcher, presidenta de una consultora internacional especializada en temas de etiqueta y que ha entrenado a ejecutivos de empresas como Daimler Chrysler, IBM hasta la NASA. Patcher fue una de las primeras en plantear el tema de los géneros de la etiqueta, que bien podría entenderse sobre las formas correctas de desenvolvernos en un mundo de negocios cada día más unisex.

Deby recomienda

Hay situaciones especialmente difíciles en estas relaciones entre géneros. Una de ellas es cuando nuestro superior, hombre o mujer, muestra alguna prenda que no debería –por ejemplo, cuando ellos tienen el cierre abajo o a ellas se le ha abierto un indiscreto botón de la blusa–. ¿Debemos advertírselos o no? La respuesta es: sí. El costo de no decir nada será muy alto, si además la otra persona se da cuenta de que lo sabíamos y no le advertimos a tiempo. Si nos avergüenza comentarlo porque se trata de una persona del sexo opuesto, lo más adecuado es pedirle a un tercero(a) que le avise. Todos saldremos ganando; le evitamos a esa persona un momento embarazoso y sumamos puntos a nuestra imagen, por haber actuado con franqueza y solidaridad.

Cuando las mujeres comenzamos a incorporarnos al mercado de trabajo hace unas tres décadas, trajimos con nosotras las costumbres y buenos modales de la sociedad, lo que generó varios inconvenientes. Por mencionar sólo algunos de los que suelen ocasionar más momentos embarazosos: ¿Al no ser una cita de tipo personal, quién se hace cargo de la cuenta? ¿Será una descortesía no abrir la puerta? Hay un signo a tener en cuenta desde la perspectiva femenina, porque de esto depende en gran medida lo que transmite su modo de reaccionar y conducirse en estas situaciones. Una mujer que espera que un hombre haga todas esas cosas por ella, transmite la imagen de que necesita ayuda, y no debería extrañarnos de que un jefe no piense en ella como la primera candidata para una tarea importante.

Por lo tanto, la etiqueta, en términos profesionales o de negocios, no debe estar regida por el género, sino por la relación comercial o por el rango jerárquico. Otros consejos igualmente útiles, los podemos resumir en el siguiente recuadro.

La actitud correcta para actuar en situaciones comunes

1. ¿Quién paga la cuenta? La factura de un desayuno o una comida la paga el anfitrión, independientemente de su sexo.

2. ¿Debo abrir la puerta o no? Abrir la puerta es un momento que suele representar cierta dificultad, porque los hombres siempre tratan de hacerlo. La regla más simple es que quien llegue primero a la puerta, la abre y la mantiene abierta para la persona que viene detrás. Así de simple.

3. ¿Saludo con apretón de manos o no? Éste es un tema de etiqueta algo controvertido. A las mujeres no se nos ha enseñado a saludar estrechando la mano del interlocutor, pero en el terreno de los negocios, sí deben hacerlo. Es la manera correcta de establecer el primer contacto. El porcentaje de mujeres que lo hacen así es relativamente bajo, pero es recomendable que incorporen esta costumbre cuando conocen a otros profesionales y ejecutivos, sin distinción del rango al que pertenezcan.

El punto G de la etiqueta: la gentileza

Sí, efectivamente, la etiqueta también tiene un punto G. Y se trata de todo lo que concierne a la galantería en una mesa. No es una cuestión de cómo los hombres conquistan a las mujeres en una mesa, sino de cómo debemos comportarnos para ser gentiles con los demás. Si hay algo especialmente molesto en una reunión, es el invitado que llega a la mesa y monopoliza la reunión: no come ni deja comer; habla y nunca deja hablar a los demás.

Los anfitriones se preocupan por la selección de los invitados, como ya vimos en los primeros capítulos de este libro, así como por cuidar que la relación de la personas convocadas sea la mejor, a fin de evitar fricciones; ya vimos también de qué manera se deben ubicar alrededor de una mesa y cómo intervenir para que el diálogo fluya en ella. Todo puede ser perfecto, hasta el arribo del peor enemigo de estas medidas: el invitado que no conoce el punto G, cuyas reglas de comportamiento exploraremos a continuación.

Deby recomienda

Si no queremos que una velada se convierta en una experiencia de tortura para los asistentes, hay que tener identificados a los invitados que desconocen el punto G, sobre todo porque seguramente alguna vez los hemos padecido:

Con frecuencia, son los más ignorantes de algún tema en específico, pero los que siempre interrumpen para contradecir a quien, precisamente, es el más indicado para hablar; a veces lo hacen sólo por decir algo y sentir que participaron, lo que resulta muy molesto para quien ya ha comenzado a desarrollar y demostrar una idea. Estos invitados nunca reconocen su ignorancia; como creen tener algo interesante que decir, sus intentos por brillar por lo regular terminan poniéndolos en ridículo.

Son también esas personas que hablan en un tono de voz superior a la media de la mesa y además acentúan su participación con gesticulaciones exageradas y movimientos muy amplios de sus manos y cuerpo.

Aprendamos a reconocer nuestro punto G

Encontrar nuestro punto más galante en una reunión, nos ayudará a identificar cuál es la actitud correcta, y reducirá al mínimo los errores que podamos cometer.

El decálogo de la gentileza

1. El secreto para mantener una conversación amena y agradable es mantener nuestra voz en un tono amistoso, sin tratar de controlar o monopolizar la conversación, ni alzar la voz; de esa manera las palabras sonarán con claridad, de manera calmada, relajada e informal. Eso también transmitirá la impresión de que somos personas naturales y sinceras; eso es lo que gusta a los demás, aunque estemos lejos de ser perfectos o admirables.

2. Siempre es importante que compartamos con honestidad nuestras opiniones, sentimientos y emociones con quienes nos rodean. Si no somos tan reservados, haremos saber a los demás lo que pensamos sobre temas importantes y les dará una idea clara de lo que queremos. Al hacerlo, hay que ser cuidadosos de no dramatizar o profundizar en temas que pueden herir la susceptibilidad de los demás.

3. Observemos nuestra respiración, tono y modulación de voz, y mantener siempre controlados nuestros movimientos corporales y la expresión facial. No es agradable conversar con un muerto inexpresivo, pero tampoco con un mimo.

4. No seamos categóricos ni impositivos. Pocas cosas son tan irritantes en una conversación como una persona que se expresa como si fuera dueña de la verdad. Aceptar que no sabemos algo no es un acto de debilidad, sino más bien de grandeza.

5. Debemos mirar siempre a la cara de nuestro interlocutor, tanto cuando le hablamos como cuando escuchamos. Una sonrisa es señal de aceptación y acercamiento, y no debe ser utilizada como un gesto de disimulo o para caer bien.

6. Los buenos conversadores saben que, en toda conversación, se debe escuchar más que hablar, y hacerlo hace sentir a la otra persona que es importante para nosotros. Quien sabe escuchar y demuestra interés por los sentimientos de los otros es respetado por los demás, y sus mensajes son recibidos también con más atención y cariño.

7. Aceptemos las opiniones diferentes a las nuestras; aunque no las compartas, vale la pena reflexionar sobre ellas.

8. Eliminemos los obstáculos que frenan la comunicación: acusaciones, exigencias, juicios, prejuicios, generalizaciones o estereotipos.

9. Respetemos el espacio vital y los límites que cada persona quiere mantener; así no se sentirán invadidos en terrenos que cada uno entiende como exclusivo.

10. Si nos ha ganado el cansancio, la pesadumbre, el aburrimiento o, peor, el enojo, dejemos la conversación para otra ocasión. Evitaremos decir algo que pueda dañar las relaciones con otras personas por mucho tiempo.

Todos podemos cometer alguna infracción al decálogo alguna vez, pero conviene reconocer de antemano a los invitados que suelen quebrantar todos los límites del punto G y a quienes se les puede encontrar, y padecer en restaurantes, casa de amigos, reuniones sociales, coctéles, salas de espera de hospitales, cumpleaños, bautizos, *bar mitzvá* y, lo que es peor, cuando fungen como anfitriones en su propia casa. No es mala idea hacerles notar sus errores, ayudarles a evitarlos, pero si no aprenden, la mejor solución es eliminarlos de nuestra lista de invitados para siempre. El resto de nuestros amigos nos lo agradecerán.

Cómo recibir en la oficina con toda corrección

Recibir correctamente a alguien en nuestro sitio de trabajo no significa contratar a una asistente con largas piernas, tacones lejanos y tupidas pestañas que dice "hola". Fallar en la atención a alguien que nos visita en nuestra propia oficina deja mal parado al anfitrión, y junto con él a la empresa completa.

He visitado muchas oficinas por razones de trabajo y de cada una tengo muchas historias que contar. Algunas son buenas y otras no tanto, pero todas han sido experiencias valiosas debidas a mi trabajo que me lleva a recorrer espacios ejecutivos y no siempre dejan un buen recuerdo. No hay que esforzarse demasiado. Recuerdo que en mi primera visita a la elegante oficina de un connotado empresario libanés, quedé encantada por un detalle: en su escritorio, junto a las fotos de su familia y una pila de documentos reposaba un platón repleto de galletas. "Sírvase, siéntase como en su casa". Es un detalle modesto, pero suficiente para demostrar la gentileza de la que hablábamos en el apartado anterior; a partir de ahí, el clima de la charla cambió, y la cordialidad fue manifiesta. Cerramos nuestro acuerdo y, hasta ahora, siempre es un gusto volver a esa oficina. Pero ha habido otras en las que no encontré ni caramelos, ni buenos tratos, ni buenos acuerdos.

Tratemos a los demás como deseamos ser tratados

- Siempre que entremos a una oficina, por educación debemos saludar a quienes se encuentran en ella. La regla se aplica en el trato que damos desde el portero, hasta el director general de la firma.
- Nunca es buena idea llegar de "sorpresa" porque es tábamos por "aquí cerca". Debemos anunciar nuestra presencia, como mínimo, con un par de horas de anti cipación, para no causar incomodidad a la persona que nos recibe.
- Como en una mesa con amigos, podremos tomar asien to en una oficina, solamente después de que el anfi trión se ha sentado.
- El escritorio de nuestro anfitrión es su espacio, por lo tanto no debemos llenarlo con nuestros documen tos, maletines, y demás utensilios de trabajo.
- Cuidemos el tiempo. No debemos alargar demasiado la visita si queremos respetar la agenda de nuestro anfitrión, porque seguramente no somos los únicos en en la lista del día. Si la reunión comienza a extenderse demasiado, acordemos una segunda reunión. Una buena idea que siempre es bienvenida, es enviar previamente los puntos a tratar vía correo electrónico.

- Hagamos que nuestro invitado se sienta cómodo.
- Mantengamos a su alcance café y agua. Si contamos con asistente, antes de comenzar a tratar asuntos de trabajo, es conveniente pedirle que acuda a ofrecer una bebida a nuestro invitado.
- Debemos ponernos de pie para recibir al visitante y extenderle nuestra mano como saludo e indicarle en dónde puede sentarse para hablar con más comodidad durante la entrevista.
- Si hay otros participantes en la junta o en la charla en la oficina, el anfitrión es siempre el encargado de hacer cer las presentaciones correspondientes.
- En el protocolo ejecutivo, las personas de menor importancia o rango son las que presentan a las de mayor importancia. (sin importar si es hombre o mujer).

Tal como ocurre en una comida formal, los tiempos en una oficina son definidos y controlados por el anfitrión. Cuando hayamos determinado que la reunión llegó a su fin, el "dueño de oficina" tiene la obligación de acompañar al invitado a la salida. No está de más decir que no se permiten celulares sonando en una reunión; si esperamos una llamada de importancia vital, lo correcto es avisar a los demás presentes, antes de comenzar a tratar asuntos laborales, que tendremos que atenderla.

Aquel empresario restaurantero que ofrecía galletas sobre su escritorio, supo muy bien como hacerme sentir bien recibida, entendiendo que el mejor clima de negocios se crea con detalles que demuestran cordialidad y buena educación. Hay probadas muestras de que estas máximas funcionan y permiten empezar interesantes negocios. Lo que hacemos en la oficina, nos pinta de cuerpo entero.

Deby recomienda

¿Se debe o no saludar de beso a una persona del sexo opuesto en una cita en la oficina? La cada vez más activa presencia de mujeres en el ámbito ejecutivo, muchas veces puede prestarse a confusiones entre el protocolo social y el empresarial. En el primer caso, al momento de los saludos, es prerrogativa femenina el contacto físico. En el mundo de los negocios, los hombres y las mujeres deben ser tratados según su categoría dentro de la empresa y no según su sexo. Es cierto que es un poco confuso dar la mano a unos y besos a los otros. Es por eso que las normas de etiqueta, que no están para complicar sino para simplificar y ordenar el trato en la sociedad, indica que lo correcto es: dar la mano.

Cortesía en la oficina.

Cómo manejar situaciones embarazosas

Se nos cayó un cubierto en una mesa muy formal, masticamos algo que no sabemos con certeza qué es, la comida está cruda... todas son situaciones tan normales como difíciles de manejar, pero el protocolo en la mesa no sólo consiste en saber, cual diestro maestro de ceremonias, cómo atacar a un universo de cubiertos o como ubicar las copas. No hay libros dedicados a cómo salir airosos, cual Indiana Jones con su sombrero sin moverse un ápice, de situaciones accidentales, eventos embarazosos, momentos incómodos en una comida. Por eso, abordaremos algunos de los más usuales en los que habremos de usar el sentido común para salir avante.

Situación 1

13:30 horas. Una joven pareja se hace arrumacos entre plato y plato en un restaurante. Un tenedor cae ruidosamente al suelo. Él se apresura a recogerlo... ella también hace lo propio por buscar el utensilio. La mesa se sacude demasiado, el mantel se desliza y ella se golpea con la mesa y la sacudida provoca la caída de otros cubiertos y objetos sobre la mesa.

Cómo reaccionar correctamente: sin duda, la pareja eligió la manera más escandalosa de solucionar un incidente menor. A menos de que estemos solos en casa, y por tanto no tenemos más opción que levantar los propios cubiertos caídos del suelo, cuando algo se cae en un restaurante, lo adecuado es buscar con la mirada al mesero y él entenderá el inconveniente, levantará el objeto y lo reemplazará de inmediato con uno limpio. No se trata de ser poco caballerosos, sino de no incrementar la seguidilla de hechos bochornosos en la mesa.

Situación 2

21:00 horas. En una mesa de ubicación envidiable en un excelente restaurante argentino. Un par de amigos esperan ansiosos sus respectivas piezas de carne, porque ambos las pidieron muy cocidas. Uno de los filetes no corresponde al grado de cocción deseado, según se observa en el escurrimiento de jugo sobre el plato; el dueño decide jugar un poco con él y dejarlo olvidado en el plato, a cambio de un voraz ataque a la panera y el plato del *chimichurri*.

Cómo reaccionar correctamente: Ésta situación es muy común en cualquier restaurante. Hay dos reacciones típicas: una es no comer la carne y la otra es el escandaloso pedido por parte del comensal de una explicación al personal del restaurante, que suele llegar a preocupar hasta a los personajes pintados en los cuadros de las paredes. Lo correcto es llamar con sigilo al mesero y comentarle, sin escándalos innecesarios, acerca del ensangrentado estado de la carne para que lo vuelva a preparar correctamente. Muchas veces es conveniente pedirle que prepare desde el comienzo un nuevo trozo de carne, antes que calentar el que ya fue servido.

Situación 3

15:00 horas. Domingo soleado en la terraza de un concurrido sitio de moda. Un extranjero pide cordialmente un plato con huevos como ingrediente principal para su comida. Una vez con el pedido en su mesa, el joven observa algo desconocido en el plato; acto seguido, desbarata toda la comida, tapa el plato con una servilleta de papel y con un chasquido de dedos le pide al mesero que se lleve "aquello".

Cómo reaccionar correctamente: si alguna vez le pasó, entenderá esta reacción cuando encontramos un extraño objeto en la comida; no voy a dar detalles, pero a todos nos ha ocurrido. La reacción correcta es llamar de la manera más discreta al personal del servicio y comentarle el problema. Luego debemos esperar a que el plato sea reemplazado y el error remediado.

Situación 4

16:00 horas. *Brunch* en reconocido sitio de comida regional entre amigas de edad madura. Una de ellas descubre entre bocado y bocado un pequeño trozo de hueso en su boca. Mira rápidamente a ambos lados, deja de masticar, busca la servilleta y la lleva a la boca. Como si nadie la viera, escupe el incómodo elemento en la misma y la acomoda prolijamente a la derecha de su plato.

Cómo reaccionar correctamente: Nunca siga los pasos de esta señora del *brunch*, la servilleta no está para solucionar así estos problemas. Cuando mastique y su boca le indique que algo "raro" está en ella, lo recomendable es tomar el tenedor para colocar ahí el objeto indeseado y colocarlo sobre el plato a un lado. De ser posible, hay que colocarlo en algún "escondite" (una lechuga, una olvidada papa, un brócoli olvidado) para que no lo vean el resto de los comensales.

Los diez errores más comunes y embarazosos en una mesa

10. Hablar demasiado fuerte.

9. Jugar con nuestro pelo, accesorios o tocarse demasiado la cara.

8. Correr el plato de su lugar cuando terminamos de comer.

7. Comer demasiado lento o demasiado rápido.

6. Usar el celular mientras comemos.

5. Tener una mala postura.

4. Colocar la bolsa, cartera, llaves, lentes de sol, celular y demás objetos sobre la mesa.

3. Apoyar los codos en la mesa.

2. Pasar insistentemente la lengua sobre los dientes, como si quisiéramos limpiarlos.

1. Hablar con comida en la boca y masticar con la boca abierta.

La incómoda tos y el escandaloso estornudo

Todos hemos sentido en alguna ocasión, cómo los colores se nos vienen a la cara porque no sabemos qué hacer cuando un estornudo o un ataque de tos nos toma por sorpresa en una reunión formal. Además de un pañuelo, conviene tener a la mano ciertas herramientas de protocolo para salir de estas situaciones, por lo demás comunes a todos los seres humanos, con total decoro.

Estar resfriado, no poder contener un ataque de tos, sentir el impulso de un eructo... son instantes en que nuestra cabeza gira a mil revoluciones por minuto para tratar de hacerlo y no pasar una vergüenza. Alguna vez charlaba con un amigo que me preguntaba eso: ¿cómo sobrevivir a un ataque de tos o a un inoportuno estornudo en una reunión, sin convertirnos en el centro de las miradas y no hacer el ridículo? Entonces entendí que el protocolo también sirve para superar con estilo estos acontecimientos.

Me he encontrado con gente que tras una situación así, cambia de actitud en la mesa y se sienten fuera de lugar. Si uno comienza a pensar en cómo actuar, pierde el hilo de la conversación y hasta el interés en la reunión. Sin exagerar, pero también he conocido a personas que afrontan la situación con tal naturalidad, que lo único que queda de manifiesto son sus buenos modales. Lo anterior me recuerda una frase que se ajusta a la perfección sobre cómo afrontar estos momentos: la perfección no consiste en hacer cosas extraordinarias, sino hacer las cosas ordinarias extraordinariamente bien.

El protocolo contra la incomodidad

1. Cuando un estornudo o un acceso de tos sea inevitable, hay que cubrirnos la boca y la nariz con la servilleta, lo más de prisa que sea posible.

2. Excepto en una emergencia, la servilleta nunca debe emplearse para sonarnos la nariz. En estos casos, lo correcto es usar un pañuelo, y hacerlo después de girar la cabeza hacia un lado de la mesa. En caso contrario, los gestos de repulsión serán inevitables a nuestro alrededor.

3. Cuando un eructo está en camino... la servilleta entra otra vez al rescate para cubrir nuestra boca y permitirnos eructar de la manera más callada posible, antes de ofrecer con recato una disculpa al resto de los comensales.

4. El hipo es una de las reacciones más difíciles de controlar. Si sentimos que comenzamos con un ataque, hay que retirarnos cordialmente de la mesa hasta que haya pasado. De vuelta en la reunión, sin llamar la atención con nuestro regreso ni interrumpir la charla con una disculpa pública, basta con mirar al anfitrión y murmurar suavemente la disculpa.

5. Bostezo. En algunas culturas, está relacionado con el espíritu del hombre, pero en la nuestra sólo denota cansancio o aburrimiento; para prevenir el escape de algún raro espíritu de nuestro interior, y que nuestros interlocutores lo interpreten como una muestra de rechazo, hay que cubrirse la boca al dejarlo salir.

El protocolo del descanso

La etiqueta no se toma vacaciones. Cuidar los modales no se trata de volver rígido un momento que se entiende es de *relax*: se trata de que el buen trato sea una constante en la manera en que nos relacionamos con los demás. Por lo mismo, el respeto es lo único que no podemos olvidar en casa o en la maleta cuando dedicamos el tiempo a descansar.

Atender a las recomendaciones de los empleados de los hoteles con amabilidad, dar las propinas necesarias, ser cordiales a la hora de solicitar *ammenities* especiales y valorar la tarea de cada uno de los miembros del hotel. Esta simple norma se debe extender al personal de los restaurantes y a quienes atienden el *room service* y al personal de limpieza. Mantener siempre una actitud de respeto, que se extiende a la no invasión de espacios ajenos, le permitirá navegar con mucha comodidad y marcará la diferencia. Por esta razón, siempre se debe solicitar una atención o servicio "por favor"; sí, tal como nos enseñaron nuestras madres y cómo debemos transmitir a nuestros hijos, así como a dar las gracias luego del cumplimiento de cada solicitud.

La puntualidad tampoco debe quedarse en casa cuando uno se toma un descanso: también es una manera de respeto al personal que nos atiende. Así, no sólo dejaremos una imagen impecable en cada uno de los lugares que visitemos, sino que usted también sentirá que ha tomado otro tipo de vacaciones.

Luego de esta breve introducción, abordaré un tema más privado, pero que igualmente implica el seguimiento de ciertas normas de acción para no ocasionar situaciones incómodas cuando se trata de tomarse un momento para disfrutar.

La comida en la cama

La cama no sólo es buen escenario para el sexo, pues hay otro gran placer que también, en especial cuando estamos cómodamente relajados, puede disfrutarse en el lecho: comer. ¿Quién no ha sentido como una prueba de amor, recibir en la cama una charola con un rico café, un jugo de toronja y unas piezas de pan dulce? Hay una nueva y particular enfermedad a la que se denominó BED (Bed Eating Disorders). Los pacientes con dicha enfermedad tienen una menor satisfacción con sus vidas, una mayor tendencia a la depresión y una casi permanente obsesión por tener las cuatro comidas diarias precisamente... en la cama. Sin llegar a esto, siempre reserve un sándwich para regalarse un pijama *party* con *buffet* incluido.

Hay gente que detesta el hecho de comer en la cama y a lo más que se atreve es a llevarse un vasito de agua para calmar alguna sed nocturna. Para los más osados, comer en la cama es una lección erótica sin precedentes. Por más de que el acto de comer en la cama no esté bien visto por el protocolo, si hacemos una encuesta estoy segura de que hasta el más conservador se pasaría un domingo de soledad moviéndose, arrugando las sábanas y comiendo. Solos o acompañados, con grandes banquetes o exiguos bocadillos, bienvenidos al fascinante mundo de la (relajada) gastronomía entre las almohadas.

Protocolo en la cama.

Cada hora tiene sus condiciones

Los *picnics* de cama se pueden hacer sólo en tres momentos del día: desayuno, comida y cena. Una reunión de té entre las sábanas a las cinco de la tarde, no sólo es improbable, sino que podría resultar muy incómoda. El desayuno, por evidente circunstancia, es una clásica muestra de amor hacia quien nos acompaña o para mimarnos a nosotros mismos. Pero para que resulte realmente placentero, es conveniente seguir algunas recomendaciones básicas. Hay que prevenir, armando un sencillo menú la noche anterior, de tal modo que en cuanto las primeras luces del día aparezcan, baste con despegarnos apenas unos instantes de las sábanas para llegar luego con el *kit breakfast* listo.

Comer en la cama es señal de que se trata de un día en que podemos permitirnos cualquier tipo de indulgencia. Por ejemplo, en un apacible domingo, después de un buen sábado y de una semana muy extenuante. La inercia nos ha dejado en nuestro universo personal y llega la hora de la comida. Una opción sin complicaciones es el sándwich. Algunos consejos son preparar prolijamente unas *baguettes* de pavo, jitomates en rodajas, una tabla de quesos duros, mostaza de *Dijon* y galletas saladas.

Por la noche, casi siempre cuando llega la hora de un antojo ligero después de habernos pasado una tarde mirando una película, serán pocos los que quieran abandonar la posición horizontal para cenar. Un buen aliado es el *sushi*, porque es liviano, nutritivo, no requiere ningún despliegue de vajilla y no requiere siquiera de servilletas. Aunque requerirá una llamada a un buen sitio de comida japonesa para que sea entregado con presteza y listo para comerse. Otra opción de comida, esta vez más italiana, es la de sumar la pizza, también a un teléfono de distancia, al banquete de la cama. Y ya en plan más casero y no tan exigente, unas quesadillas livianas también son un aliado simple y nutritivo.

A cualquier hora, beber en la cama no es simple. La mejor opción es el uso de botellitas individuales (refresco, agua, cerveza o las pequeñas botellitas de champagne).

El comportamiento correcto

Aunque sienta que está en el momento más relajado de la semana, hay algunas normas que hay que tener en cuenta: use una servilleta grande, que cumpla la función de mantel; sirva platos que eviten el uso de cubiertos, porque resulta incómodo y su uso puede resultar inseguro; evite los platillos de olor fuerte para no impregnar la habitación. Si el platillo en cuestión se prepara con pan, elija un tipo con poca miga, para evitar que después se pase mucho tiempo sacudiendo las migajas de la cama.

Comer en la cama se adapta tan bien a las situaciones de descanso, que el restaurante BED en Miami lo adoptó como su distintivo y las gigantes charolas van y vienen entre las camas donde se tiende a los comensales y los meseros hacen raras piruetas para servir.

Si la propuesta resulta incitante, no hay que esperar para conseguir rápidamente una buena charola y dejarse tentar por los placeres de la cama... y la comida.

La silenciosa atención en el deporte: el tenis

Suelo compartir con mi hermana muchos momentos, generalmente en la cancha de tenis en el club. Sin que nos consideremos como Serena y Venus Williams, en una ocasión no muy memorable, el disfrute fue imposible, no por nuestra poca habilidad sino porque en la cancha vecina las jugadoras no dejaban de hablar. No recuerdo cuantos puntos marcamos pero sí conocí con exactitud que comió cada una de las señoritas, cómo se llama y cómo se lleva con su novio, qué se va a comprar a fin de mes y las últimas novedades de la serie de moda. Si le ha ocurrido en alguna oportunidad, comprenderá por qué creo que es importante marcar las pautas generales de etiqueta en los feudos del tenis.

Deby recomienda

Si es la primera vez que asistirá a un club privado, llame antes para constatar cuáles son los reglamentos a seguir, para no quedar fuera de lugar. Desde la reservación de la cancha hasta la forma de vestir. En caso de que no haya reglas preestablecidas para su atuendo, lo más recomendable es optar por el blanco y la indumentaria más clásica que vanguardista. Y por favor, no confundamos la red en un perchero: está prohibido colgar chamarras, mochila o toallas en ella.

Reglas de la cancha

Además de las reglas oficiales del tenis, hay también algunas leyes importantes no escritas que forman parte de las buenas normas dentro de la cancha. El tenis es un juego social, un juego que implica cortesía y la consideración simples. Cada uno gozará del juego tanto más si se mantienen en esos estándares.

Algunas de las reglas más importantes son:

•Si es nuestra primera vez en el *court*, debemos presentarnos a nosotros mismos y al resto del equipo ante los otros jugadores.

• Hablemos con reserva y en un tono bajo cuando en las canchas cercanas estén jugando. Para ponerse al día en comentarios e historias, hay que esperar a estar en el bar o el restaurante del club. El resto de los socios no tienen ninguna necesidad de participar, ni enterarse, de sus anécdotas.

• Si en una cancha en su camino hay un punto todavía en juego, espere a que termine antes de seguir adelante. Espere hasta que se haga el tanto y después cruce tan rápidamente como le tsea posible.

• Si descubrimos a un amigo jugando, esperemos a que termine el partido para acercarnos y saludarlo. Gritarle desde una cuadra de distancia para que se percate de nuestra presencia es de pésimo gusto.

• Nunca se debe criticar en voz alta al contrincante. Es un juego y está muy mal visto desmerecer al resto de los jugadores.

• Si hay algún desacuerdo, ofrezca jugar ese punto de nuevo, incluso si era el segundo saque.

• Cuando termine el partido, acérquese a la red y brinde un fuerte apretón de manos al contrincante, lo que es una buena actitud, haya ganado o perdido el juego.

• Agunas instituciones tienen códigos muy estrictos en cuanto a la vestimenta que deben usar sus socios (o invitados) a la hora de presentarse en la cancha de tenis. Infórmese con anticipación de cuáles son para no pasar un mal rato una vez en la cancha.

Con mi hermana no pudimos jugar finalmente esa tarde de jueves, pero juntas recordamos una frase que me parece muy importante para los jugadores de tenis, como para los de cualquier deporte: "juegue para ganar, gane sin jactarse, pierda sin excusas, y siempre juegue con las reglas".

La etiqueta en el tenis.

Hole in one: la etiqueta del golf

Aire puro, ejercicio, precisión, válvula de escape de estrés o foro para hacer negocios, el golf es un deporte cada vez más extendido, pero las normas protocolarias que se necesitan para este deporte de verde paisaje y lustrado abolengo no siempre son atendidas correctamente.

El escritor Mark Twain dijo alguna vez que: "El golf es un hermoso paseo arruinado por una minúscula pelotita", pero la realidad lo contradice, pues hoy son muchos los negocios que mejoran o se cierran en el marco de un campo de golf. Es enorme el potencial de relaciones y de oportunidades que se pueden dar entre *green* y *green*. Tener buen equipo, buen *handicap* o correcta técnica no basta: es necesario conocer la etiqueta detrás de cada uno de los 18 hoyos de un verde campo de golf.

No existe deporte que esté tan sometido a tantas reglas y directrices de comportamiento como éste, y son indispensables para disfrutar y tener éxito jugando al golf. Hay decenas de libros al respecto y de sitios en la Internet que tratan de resumir de la manera más pedagógica la conducta de este deporte. Aquellos que llevan años en el mundo del golf saben que la etiqueta de un buen jugador se divide en dos tipos: las del juego propiamente dicho y las de la vestimenta.

El hábito hace al jugador

Lejos de las postales de antaño, de jugadores con trajes de *tweed* y corbatas de lana, la ropa que usara en el campo de golf debe cumplir con una serie de requerimientos:

• El calzado tiene que ser el especializado para este deporte con tacos de plástico. Con excepciones se pueden utilizar zapatos tenis, pero no es recomendable.

• El pantalón debe tener un estilo formal, ya sea largo o corto. Prohibidos los bikinis o las mezclillas. El pantalón debe ser de los llamados "chinos"; si son cortos debe ser bermuda, nunca pantalón deportivo.

• La playera, según una máxima del golf, exige que siempre tenga cuello. Antaño la norma era camisas de felpa y manga larga. Hoy ya no se exige. Su reemplazo son las de tipo polo o camisetas de cuello.

• No se puede entrar con zapatos al *green*, ni saltar en él ni correr ni entrar con el carrito ni tirar allí la bolsa de palos.

Deby recomienda

Conocer algo de la historia de este centenario deporte siempre ayuda para saber por qué es tan estricto en sus normas y la razón por las que se deben respetar. Algunos historiadores sostienen que el golf se originó en los Países Bajos (la palabra holandesa *kolf* significa "palo"); otros, que nació como idea de los romanos, quienes tenían un juego en el que usaban un palo curvado y una bola hecha de plumas, que podría haber sido la fuente original del juego. No obstante, ha quedado bien establecido que el golf, tal como lo conocemos hoy, fue inventado por los escoceses entre los siglos XIV y XV. El juego llegó a hacerse tan popular en Escocia que para evitar que la población jugara al golf y al futbol durante el tiempo que debían dedicar a practicar el tiro con arco, una necesidad militar, el Parlamento escocés dictó en 1457 una ley que prohibía ambos juegos.

En acción

El segundo aspecto es la etiqueta durante el juego. El golf no admite levantar la voz desmesuradamente, jugar con excesiva lentitud, poner en peligro la integridad física de los demás jugadores o la propia. Podríamos armar un pequeño listado de las reglas a respetar para no hacer el ridículo en las salidas al campo:

1. Aunque es una norma muy reciente, se ha convertido en la más importante de todas: apague su celular antes de empezar a jugar. Puede llevarlo con usted, pero sólo en modo de silencio y en algún descanso escuchar los mensajes.

2. El golf también es conocido como el deporte de los caballeros, y por lo tanto es fundamental el respeto a su compañero de juego. Mantenga el silencio en la preparación y golpe de sus compañeros y evite los comentarios una vez que lo hagan.

3. Los jugadores con el menor *handicap* serán los primeros en salir desde el hoyo 1.

4. Otra regla básica es que el jugador más alejado del hoyo será quién golpee primero la bola.

Como en muchas otras actividades, el golf no se ha escapado de las leyendas. Una es la que dice que la palabra golf es el resultado de las siglas: Gentlemen Only, Ladies Forbidden, escrita en un cartel que se colocaba en los *club houses* en Escocia. Los historiadores señalan, sin embargo que este deporte se llama así incluso antes de la existencia de esos sitios. Curiosidades mediante, hoy día las mujeres tienen una participación muy activa y destacada en los campos de golf, y el protocolo se aplica de la misma manera, sólo que sumando la opción de recorrer el campo con una falda si la jugadora lo prefiere.

Como en el caso de los caballeros, ellas también deben usar camisetas de vestir y nunca deportivas, pudiendo llevar los hombros al aire u otras modalidades que la moda decida.

Seguir al pie de la letra estas recomendaciones, sin duda nos permitirán sentirnos mejor en el recorrido de los 18 hoyos.

El golf y el vino son mis dos grandes pasiones y en ambas actividades mienrtras más sabes, más placer obtenemos.

La etiqueta en el gimnasio

El estar vestidos con un conjunto deportivo de *pants* y playera, no nos excluye de comportarnos con la misma corrección que en una fiesta formal, aunque se trate de reglas de etiqueta más relajada, porque en los gimnasios, además de cultivar cuerpo, también pueden ejercitarse los buenos modales.

Nunca fui una fanática de los gimnasios. Lo mío es más el aire libre, el tenis, el golf, los deportes con sol incorporado. Pero los promocionados pilates y tantas otras disciplinas deportivas para practicar bajo techo, además de las crecientes multitudes que se mueven rumbo a las máquinas de los gimnasios en búsqueda del cuerpo ideal, terminaron por empujarme a abordar este tema como parte de este libro acerca de la etiqueta. Hay un código no escrito pero conocido por todos acerca de qué hacer y qué no en un gimnsio. Le ahorro la tarea de investigación y le pasó los *tips* más importantes, para evitar la paranoia de que al caminar dentro del gimnasio, todas las miradas estén encima de nosotros. Eso no es así, a menos que nuestra ropa deportiva sea un disfraz al estilo de la cinta *Flashdance* en tonos fosforescentes.

Dentro del gimnasio

1. Lleve siempre una toalla. Servirá para limpiar su sudor de los aparatos; además de ser una señal de buenos modales frente a la persona que seguirá luego de usted en el uso de ese aparato, es una norma de higiene que suelen exigir los establecimientos más profesionales.

2. En el gimnasio, como en cualquier otro espacio, es muy grosero mirar a alguien fijamente. Aunque esta persona esté concentrada en el pedaleo del spinning, no lo desconcentre ni lo haga sentir incómodo. Una estrategia es aprovechar la cantidad de espejos para buscar un modo de ver más discreta.

3. Si somos el blanco de miradas amenazadoras de Adonis griegos o de mujeres de cuerpo dibujado, haga el mejor intento por no devolver una mirada amenazadora.

4. Antes de sentarse en una máquina, asegúrese de que no la está utilizando nadie. No invada los espacios. Recuerde que otros ya hicieron fila y esperaron. Negocie el uso de la máquina y estoy segura de que no habrá conflictos y sí mucho respeto.

5. No compita: dedíquese a su tarea y no trate de competir con la persona que está ejercitándose a su lado. Lo único que conseguirá es desconcentrarse. Incluso esta persona está tan ocupada en su ejercicio que no perderá mucho tiempo en aceptar su desafío.

6. El que las paredes de un gimnasio estén cubiertas de piso a techo de espejos, no es para ejercitar el narcisismo de los asistentes. Es una medida de seguridad para hacer los movimientos correctos para cada ejercicio. Las normas con los espejos son: no ensuciarlos (no se le ocurra buscarse espinillas en ellos) y dedicarse sólo a mirarse a uno mismo. No invada la privacidad de los vecinos.

7. No abuse del tiempo debajo de las regaderas. Piense que no es su casa y que otras personas también necesitan este servicio. Deje la regadera en el mismo orden e higiene en que la encontró.

Capítulo cuatro

Buenas maneras para toda ocasión

Hay momentos en que resulta complicado pensar en las reglas protocolarias que nos permiten actuar con la corrección debida, simplemente porque desconocemos que las buenas maneras también se aplican en esas circunstancias. Puede ser que nos encontremos en un viaje de negocios y estemos acompañados de varios compañeros de trabajo o futuros asociados, ¿cuál es la manera correcta de viajar juntos sin faltar al protocolo corporativo o empresarial? Tal vez estemos en una situación más común, pero igual de incómoda: nuestro invitado, o interlocutor de negocios, es de los que suelen llegar mucho más tarde de lo que se suele llamar *fashionably late*...[1] ¿cuánto tiempo es razonable como periodo de espera? Y aun más, ¿tenemos que esperarlo? La respuesta es sí, por supuesto, pero como todo, hay reglas que debemos seguir para no caer en la descortesía que puede arruinar una relación amistosa o cordial, y hasta un buen arreglo de negocios.

No son las únicas situaciones que abordaremos en este capítulo; como bien podrán imaginarse, hay muchas más, que van desde la aparentemente trivial espera en una

1. N. del editor. Se refiere a los 15 minutos de retraso que se consideran razonablemente aceptables.

fila, a las más importantes como el trato que damos a las personas con capacidades especiales y la actitud apropiada cuando asistimos a un acto tan personal y doloroso como un funeral. De todo ello trata este último capítulo, que no por ser el colofón de este libro, requiere menos atención. Como bien dirían los vecinos del norte, las recomendaciones para estas situaciones llegan *last, but not least*.

Impuntuales.
Esperar o no esperar, ése es el dilema

La situación resulta, desafortunadamente, demasiado familiar para todos. Los invitados a una cena estaban avisados a tiempo de la hora exacta para la reunión. Todos están esperando para comenzar, excepto el más impuntual de los invitados. ¿Esperar o no esperar? Bueno, he ahí la verdadera cuestión.

En más de una ocasión me ha tocado vivir de primera mano una experiencia odiada por cualquiera que haya organizado una reunión formal: el invitado más impuntual. Es un gran amigo y su conversación es muy interesante, pero nunca se puede contar con él a la "hora señalada". Por eso creo que es importante saber cuál es el tiempo protocolario de espera permitido en este tipo de casos, porque así como se le respeta al que no ha llegado, se le debe el mismo trato respetuoso a los demás asistentes que han arribado con puntualidad. Así que sea quien fuere el impuntual: sólo se le espera un máximo de entre 15 y 20 minutos. Así de simple, aunque habremos de elaborar más sobre las condiciones de cómo enfrentar la situación de una llegada tardía.

Deby recomienda

Si se trata de negocios: por favor, se debe llegar a la hora señalada. La mayoría de las oficinas comerciales de las embajadas de todo el mundo, así como las instituciones que buscan intercambio comercial con otro país, suelen sumar a los datos macros, a los listados de empresas y a los fríos números, una página sobre los usos y costumbres para quedar bien y estar acorde a la idiosincrasia de turno. He buscado datos desde Japón a Arabia Saudita, de Alemania a Bolivia, de Polonia a Estados Unidos y todos, absolutamente todos recomiendan la puntualidad como una señal de respeto y educación. No existe ningún país donde el apartado correspondiente a la "puntualidad" vaya acompañado de la palabra "flexible". Siempre, como en aquel *western*: a la hora señalada.

Protocolo para impuntuales

En un evento formal, el anfitrión no debe abandonar la mesa y dejar desatendidos a quienes llegaron a tiempo. Por lo tanto, el impuntual debe ser atendido por un asistente, para después ser conducido inmediatamente a la mesa; si es un invitado conocedor de las reglas de etiqueta, quien llega tarde debe realizar en público una breve y simple disculpa, no una larga suma de pretextos confusos para explicar su tardanza, antes de sumarse a la comida.

Si se trata de una reunión informal, el anfitrión es quien recibe en la puerta al invitado y lo acompaña a la mesa, para que ofrezca una disculpa a los demás.

Qué hacer con el menú

Si el retraso es tal que obligue a comenzar a servir antes de la llegada del impuntual, y sabemos que será difícil que disfrute el menú completo, simplemente se le incorpora en el alimento en turno; es decir, se le sirve el platillo que corresponde servir a **toda la mesa** en ese momento. No hay deferencia por su retraso. Ya tendrá otra oportunidad para degustar las confecciones previas a su llegada.

Cómo se recibe en la mesa a un impuntual

Cuando el impuntual es un varón, los demás hombres de la mesa permanecen sentados. En cambio, si quién llega tarde es una mujer, más por una fundamental norma de cortesía que por etiqueta, todos los hombres deben ponerse de pie, y quién está sentado a la izquierda de la recién llegada, debe ayudarla a sentarse a la mesa.

Sin embargo, más que tanto protocolo e instrucciones, mi mejor recomendación es: nunca llegar tarde a una reunión, por más informal que sea.

Bizarros momentos urbanos

Vivir en una gran metrópoli nos expone a situaciones cotidianas que a veces resultan muy extrañas. Por ejemplo: vamos en el coche, bajamos la música en el equipo de audio, abrimos las ventanillas y respiramos profundo. ¿Qué pasa afuera? ¿Qué pasa en esa ciudad que nos resulta tan cansada y al mismo tiempo tan fascinante? ¿Qué ocurre en esa urbe que nos sofoca y también nos nutre? ¿Cómo se relaciona ese ritmo acelerado de las ciudades con el más ajustado protocolo? Sencillo: una ciudad la hacen quienes la habitan porque es a ellos a los que pertenece; sin embargo, también es la propia ciudad la que configura el estilo y la manera de sus ciudadanos.

Si observamos la situación en múltiples cruces de nuestras ciudades, veremos la siguiente escena: un hombre de edad avanzada nos ofrece golosinas, unos pasos más allá un jovencito enfundado en un llamativo overol amarillo ofrece tarjetas y un hombre maduro traga fuego a cambio de monedas. Muchas veces la propia ciudad enciende nuestra agresividad porque a veces sentimos que debemos, o estamos obligados, defendernos de ella y, en otras, para sobrevivirla es necesario sacudirnos las ansiedades que nos provoca. Una receta simple para volver a sentirse un aliado de la ciudad es respetar las normas de convivencia e ir más allá de la simple cortesía en la manera en que nos dirigimos a los demás en la calle, en las banquetas y en el coche.

¿Cuál es la manera más adecuada de actuar si...?

Nos piden una caridad: las limosnas son el pan nuestro de cada día, porque a diario parece aumentar el número de personas que piden dinero en la calle; algunos de forma pacífica y otros de modo más agresivo. La decisión es totalmente personal y debe privar a la hora de negarse a dar o no; en cualquier caso, sin embargo, nunca debemos insultar ni maltratar a dichas personas, ni tratar de darles en ese momento una clase magistral de buenos modales o toda una conferencia sobre si debería estar o no haciendo lo que hace.

Nos abordan para la resolución de una encuesta: ante la avalancha del creciente número de personas que nos detienen en la calle para hacer "una preguntita, nada más", se puede proceder de igual forma que en el caso anterior. Se vale decir, siempre muy cortésmente, que no tenemos tiempo suficiente, en lugar de alejarnos rápidamente dejándolos con la palabra en la boca. Recordemos que ellos están realizando un trabajo y deben por lo tanto ser tratados con una mínima cortesía.

Nos acosan los prestadores de bienes y servicios en los semáforos: vaya, es una manera de llamar a todos aquellos que literalmente saltan encima de nuestro auto para limpiar los vidrios, sacudir el polvo de la carrocería o para ofrecernos tal o cual producto en *oferta*, tarjeta telefónica o periódico. Si lo acepta está bien, pero si no lo desea, hay que negarse recordando no hacer una escena o excederse en aspavientos.

Nos ganan las ganas de fumar: es imprudente conducir un auto con un cigarrillo en la mano y no es muy educado fumar mientras camina por la calle. En el primer caso, es una regla elemental de manejo mantener las dos manos libres sobre el volante y, en el segundo, es posible que moleste a quienes caminan a su lado. Lo mejor es detenerse en un sitio para disfrutar con toda calma de su cigarro, donde no genere riesgos o incomodidad a los demás.

Deby recomienda

La dama nunca va desprotegida. Cuando una pareja camina por la calle, el hombre va siempre por el lado exterior de la acera, el que limita con la calle. La regla tiene su origen en las congestionadas metrópolis de antaño: el caballero protegía a las damas de un posible accidente dada la proximidad con el movimiento de "carruajes". En la actualidad esa norma social no siempre es fácil de aplicar, pues es tal el número de peatones, que mantener ese orden no siempre es posible. Cuando una pareja va sin muchas personas alrededor, si vale tal código social.

Verbos a conjugar en la ciudad

Raramente preguntamos la hora, pedimos fuego o solicitamos la ayuda de alguien para que nos guíen en alguna dirección, ante el temor de no recibir respuesta o de escucharla entre malhumorados bufidos. Lo mejor que debe darnos nuestra ciudad es **subrayar nuestra personalidad,** no deshumanizarnos y asfixiarnos. Considero que la secuencia de verbos cuya conjugación cotidiana es necesaria para volver a sentirnos a gusto en el entorno de la ciudad son: permitir y más que permitir provocar; incluso antes que provocar, exigir el respeto a las normas de convivencia.

Es una manera de reconciliarnos con la ciudad, de volver a amarla. Sé que puede sonar titánico el esfuerzo, especialmente en una ciudad tan insegura, pero sentirse bien con el entorno vale la pena.

El perfecto asistente de vuelo

Al leer este tema, bien podría pensarse que soy una azafata. No es así, pero casi... porque será necesaria toda su atención al frente, para que ajustemos nuestros cinturones luego de que estemos ubicados dentro del avión en el lugar que nuestro rango indica cuando organizamos un viaje con otras personas, sobre todo cuando se trata de una relación de negocios, porque el protocolo no se abandona nunca.

Así como ya hemos tratado la ubicación de las personas en una mesa, teniendo en cuenta su importancia, edad o rango dentro de la empresa... lo mismo ocurre en un avión. A menudo podemos ver la llegada de autoridades al aeropuerto y cómo descienden por la escalerilla, pero no podemos ver el interior del avión. ¿Cómo se ubica a las autoridades en la cabina?

Para comenzar, el sitio de mayor precedencia se encuentra en la parte delantera del avión, en la primera fila. Y el asiento más importante se encuentra a la derecha de la primera fila, mirando hacia la cabina.

A partir de esta posición al extremo derecho de esta primera fila, se ordenan al resto de las autoridades hacia la izquierda en orden decreciente, hasta llegar al otro extremo. En la segunda fila, se empieza de nuevo por la extrema derecha hacia la izquierda hasta terminar. Y así sucesivamente con todas las filas de asientos que sea necesario distribuir.

En cuanto a los movimientos dentro del avión, en lo que se refiere al embarque y desembarque, la persona de más alto rango es la última en subirse al avión (después de que lo han hecho el resto de sus acompañantes), pero es la primera que baja.

Con los pies en la tierra

Una vez que arribamos al aeropuerto de destino nos moveremos en auto... Sí, también hay normas para trasladar a la comitiva. ¿Cómo se trasladan la precedencia de las personas del avión al automóvil? Es muy simple: el sitio de mayor importancia es el que está detrás del asiento del pasajero y el segundo sitio en el rango es el que va detrás del conductor. Lo ideal es llevar sólo a dos personas en el asiento trasero, pero si es necesario, el tercer sitio en importancia es la posición central en la parte posterior del automóvil, y por último, se sitúa el asiento delantero a la derecha del conductor.

Como en todo, pueden darse excepciones. Por ejemplo, si se trata de dos parejas de hombre-mujer, aplicando estas posiciones, quedarían dos hombres atrás y una mujer delante. En este caso, el caballero de mayor precedencia, ocupa el asiento detrás del conductor y las dos señoras se acomodan en el asiento posterior, dejando la posición delantera, junto al conductor, para el segundo caballero. Si la conducción la hará uno de los miembros del grupo, como cuando viajan dos matrimonios, es posible sentar a los dos caballeros adelante, con el anfitrión al volante, o bien, la pareja del conductor puede ocupar el asiento delantero a su derecha, dejando la parte posterior para la pareja invitada.

Como en el caso de las presentaciones, el protocolo nos indica que la mujer tiene precedencia sobre el hombre, los mayores sobre los más jóvenes, los representantes de instituciones oficiales sobre los de instituciones privadas, las personas con capacidades especiales sobre quienes no lo son, las autoridades religiosas sobre las civiles, el jefe sobre los empleados, etcétera. Estas pautas generales siempre pueden tener sus excepciones.

Cortesía: la capacidad más especial

La responsabilidad con las personas con capacidades especiales no acaba con la donación anual a una institución especializada, porque todos, ya sea que tengamos o no a alguien cercano en esta situación, debemos aprender a relacionarnos con ellos de manera que su integración a la sociedad sea completa.

A mí quedó muy claro en un restaurante, en un concurrido centro comercial. Mariana, una simpática joven sentada en una de las mesas, consultó con el mesero dónde estaban los baños, y le indicaron que en la planta superior mientras le señalaban unas puertas a las que sólo se accedía por una empinada escalera. Mariana miró la silla de ruedas en la que estaba sentada y levantó los hombros en señal de resignación. La escena me llenó de indignación y decidí dejar de tomar mi café sola, para acercarme y ofrecerle llevarla a otro restaurante que sí tuviera en planta baja sus sanitarios.

Mariana es una persona excepcional, como muchos otros con capacidades especiales, que toma con mucho humor este tipo de situaciones a las que el resto que nos movemos sin necesidad de una silla de ruedas, no estamos acostumbrados a vivir. Platicando con ella, descubrí una gran cantidad de situaciones que la mayoría desconocemos y que hacen mucho más difícil la integración completa de personas como ella en nuestras ciudades. No se trata sólo de la infraestructura disponible, sino al resto de los ciudadanos que no siempre estamos dispuestos a colaborar para integrarlos más fácilmente. Muchos, es cierto, no lo hacemos por una razón que no tiene nada que ver con la indiferencia, sino simplemente porque no sabemos cómo manejarnos con ellos, cómo ofrecerles asistencia si es necesaria o porque muchas veces consideramos que ayudamos más al no estorbar.

La referencia adecuada

Mariana me enseñó, porque yo tampoco sabía cómo hacerlo, las maneras en que una persona con capacidades especiales quiere y merece ser tratada en sociedad. La primera lección es manejar el lenguaje indicado.

La cortesía más especial.

La primera regla es poner a la persona en primer lugar: una mujer con capacidades especiales es la forma más utilizada actualmente y creo que es la mejor manera de referirnos a ellos; aunque es posible decir con una discapacidad, antes que decir "la discapacitada".

Al referirnos a estas personas no debemos hacerlo como "los enfermos", porque su discapacidad no es una enfermedad y muchos de ellos gozan de una excelente salud. Por lo mismo, hay que tratar de eliminar de nuestra conversación algunas frases hechas que puedan resultar chocantes, aun como referencias involuntarias, tales como decir cuando estamos con un invidente "¿Y tú cómo ves?", o "estamos a un paso de lograrlo", cuando se trata de una persona en silla de ruedas.

Deby recomienda

Una regla básica. Hablar o mencionar la discapacidad de la persona, sólo debe hacerse si el tema aparece de forma natural en la charla. No tratemos de forzar la situación, o de preguntar directamente, para evitar herir su sensibilidad.

Con espíritu de colaboración

Las personas con capacidades especiales tienen diferentes temperamentos, grados de humor, gustos, fobias y estilo.

Tal cual como el resto. Si quiere ofrecer su ayuda a alguien, por supuesto que no está mal, pero si la persona le dice que no necesita de su colaboración: nunca insista. El efecto será, con seguridad, contraproducente.

En cambio, si aceptan el ofrecimiento, pídale las instrucciones precisas de cómo se le puede ayudar. Ellos saben mejor que nosotros cuál es la mejor manera de hacerlo. Cualquier duda que se presente sobre cómo asistirlos, debe preguntárseles directamente porque ellos son la primera y más confiable fuente de información.

De primera mano con un invidente

Cuando estamos en compañía de una persona con visión disminuida o invidente, hay una serie de otras consideraciones que es interesante conocer para facilitar la interacción sin generar situaciones incómodas. Lo primero que debemos hacer es presentarnos y darles una referencia de nuestra ubicación estrechándoles la mano.

Nunca dejemos una reunión con una persona invidente, sin avisar de nuestra partida. Es una señal de respeto para que esta persona no se quede luego hablando sola o buscando a alguien que ya no está.

Si vemos a una persona sin visión en una situación de riesgo, debemos alertarla pero nunca con un grito de espanto... sino en forma suave y calmada. Si se ofrece como guía, vaya relatando el camino y lo que viene un par de pasos adelante (escalera, césped, puerta, etcétera.

Cuando compartimos la mesa con un invitado invidente, es necesario describirles el plato usando como referencia el reloj: "tienes la porción de pavo a las 2, y las zanahorias a las 6, mientras que más arriba, a las 10, están los huevos de codorniz". Si somos invitados a su casa o su lugar de trabajo, debemos ser los más cuidadosos para no mover nunca los objetos, ya que cualquier elemento para ellos es una marca en un mapa mental que les permite moverse con seguridad.

Deby recomienda

La regla de oro al acercarnos a una persona invidente. Nunca, pero de verdad nunca, se le debe proporcionar alimento al can que llevan como lazarillo.

Una relación sobre ruedas

Es en el contacto con las personas en silla de ruedas el tema sobre el que más me enseñó Mariana. Muchas personas tienden a ofrecerse para empujar la silla de ruedas, pero sólo es conveniente hacerlo cuando la persona lo solicita. Si no es así, no haga más movimientos, porque si algo pretenden y defienden los hombres y mujeres en esta situación es su independencia.

Si hablamos con una persona sentada en su silla durante un buen rato, por favor, póngase a su altura. Esto me ocurrió a mí y después de unos minutos en que las dos nos sentíamos muy incómodas, ella me explicó que lo más saludable (y hasta respetuoso) es sentarse a su altura para hacer más fluida la charla. Otra de las maneras es tratar de encontrar rápidamente otras alternativas para hacer más cómoda su estancia. Lo mismo ocurre en su oficina si tiene un compañero con capacidades diferentes: tenga en mente los ascensores más cercanos, la ruta con menos escaleras y las rampas mejor ubicadas para poder guiarlos por la vía menos complicada.

Una recomendación de Mariana que muchos pasan por alto: la mayoría de las veces que vamos en auto a un centro comercial o a un supermercado, el espacio reservado para discapacitados está ocupado y más de una vez ha visto que de esos vehículos no baja nadie con capacidades especiales. Una vez, me contó Mariana, se tomó el atrevimiento de preguntarle a una joven pareja por qué lo habían hecho y él le contestó muy quitado de la pena: "hace mucho frío y es el lugar más cerca de la puerta", sin que ninguno de los dos sintiera ni culpa ni remordimiento, sin palabras para describir tan vergonzosa falta de sensibilidad a las necesidades de los demás. Evitemos, por lo tanto, convertirnos en alguien así. Más allá de las reglas de etiqueta que hemos abordado en todo el libro, siempre debe haber una enorme sensibilidad y respeto a quienes nos rodean.

Gracias Mariana.

Niños ¿problema?

No, si sabemos cómo tratarlos

Socorro: hay niños invitados y ¿quién no ha padecido de una reunión con algún niño maleducado? Yo soy una de las sobrevivientes que puede contar cómo manejarse con ellos. No se trata de convertirnos en los malos de la película, o los intolerantes insoportables que satanizan a todos los niños. Ante todo soy madre, y mucho antes que eso también fui niña, por lo que hablo desde la experiencia propia.

En más de una ocasión, sentada en un restaurante, he sentido cuando empiezan a levantarse los cabellos de mi nuca y en mi ceño se marca como una cicatriz en mi frente. Esta reacción casi instintiva, estaba provocada ni más ni menos que por una horda de pequeños que corrían entre las mesas; los mismos infantes que momentos antes gritaban y se paraban en sus sillas, mientras el resto de la mesa trataba de hilar alguna conversación y, en el mejor de los casos, de comer simplemente. Por lo tanto, concluí que también existe un "protocolo infantil".

¡Socorro!: hay niños invitados.

Desde la tierna infancia

Un adulto que hace un papelón en una mesa fue sin duda un niño que tenía las mismas costumbres. Podría hacer una lista de conocidos a los cuales, sin conocer su infancia, es posible hacerles una radiografía de su vida con sólo verlos actuar hoy en día.

Así como es molesto estar con una persona mayor con poco sentido común en una reunión, ocurre lo mismo con los niños. No son pocos los invitados que deben dejar una reunión a causa de un pequeño inmanejable o de cenas que perdieron su eje central a causa de los caprichos de alguno de los infantes comensales.

No tiene por qué ser así. Los más pequeños aprenden mucho más rápido que el resto las reglas de la mesa y, como si fuera un juego, recuerdan con mayor exactitud todo aquello que un adulto con paciencia y entusiasmo le enseñe.

Antes de sentarse

Antes que cualquier norma de protocolo en pequeño, un punto fundamental es la higiene: todos los niños deben saber que tienen que lavarse las manos y peinarse antes de sentarse a la mesa. Es importante que salga de ellos mismos y deben aprender a hacerlo sin protestar, ya que si hay una lucha entre padres e hijos, será muy incómodo para los demás invitados.

Si los niños vienen de jugar afuera o llevan ropa de deporte, deben, además de lavarse, cambiarse de ropa. Si ellos mismos no pueden vestirse, tiene que ayudarles con tiempo para no llegar con retraso a la cita. La puntualidad es fundamental también a esas edades.

Deby recomienda

Algunos puntos básicos que debemos tener en cuenta para reducir al mínimo los inconvenientes con los niños en la mesa, son recomendaciones de sentido común que como adultos no deberíamos olvidar nunca:

- Procure dejar la vajilla de "gala" para los comensales adultos y elija una in dicada para los niños. Las copas Riedel no son lo ideal para servir refrescos.
- Muéstreles que las manos no se esconden debajo de la mesa.
- No permita que se lleven el cuchillo a la boca.

- Las porciones deben ser acordes con tamaño de la boca, para evitar que tengan problemas masticándolas y pasándolas por su garganta.
- No los deje jugar con el pan ni con los cubiertos.
- Si ya no quieren comer más, evite que comiencen a jugar con la comida. Lo mejor es retirarles a tiempo el plato antes de que esto suceda.
- En la mesa no permita que se toquen el pelo o que dejen caer la cabeza sobre una de sus manos para comer.
- Enseñe a los niños a quiénes pueden tutear y a quiénes no.

Antes de empezar a comer

Éstas son algunas de las recomendaciones básicas que todo padre debe hacer a sus hijos:

- Cada invitado ocupa su lugar: cada niño debe tener un espacio asignado en la mesa y lo tiene que respetar; de otra manera, la llegada a la mesa se puede convertir en el "juego de las sillas". Si no entran en razón, no levante la voz (como suele ocurrir en estos casos) y juegue con una pedagogía más inteligente explicándoles que ese lugar es "suyo, único y especial".
- Muéstreles la posición correcta en la mesa: hay que ayudarlos y acostumbrarlos a que permanezcan erguidos en la silla, ni muy cerca ni muy lejos de la mesa. Procure que no balanceen los pies, para evitar esas "pataditas" al comensal de enfrente. Para que no agachen la cabeza en cada bocado hacia el plato, debe enseñarlos a llevarse la comida a la boca

y que sea el brazo el que hace los movimientos y no la boca la que busca el alimento. Tal como un adulto, enséñelo a apoyar en la mesa sólo el antebrazo a cada lado de su plato. Los codos nunca van sobre la mesa.

• Su tiempo: no sencillo que lo apliquen desde la primera vez pero los niños comensales deben saber que no podrán levantarse de la mesa hasta que no quede nada en el plato. Y muy importante, que no deben hacer ruidos con la vajilla, la cubertería o los vasos, cosa que suele ser una gran tentación para ellos, sobre todo cuando en la reunión hay varios niños a la mesa y los utensilios para comer se convierten de inmediato en juguetes.

Durante la comida

La servilleta es también un elemento que no debe olvidarse. Si los niños ya tienen la edad suficiente, lo primero que deben hacer al sentarse a la mesa es colocar la servilleta sobre sus rodillas, no colgada de su cuello. ¡Nunca! Si es mala educación en los adultos, lo mismo ocurre en los niños, por más simpático que se vea el pequeño. Si como mamás tememos que se manchen la ropa, para eso están los baberos, la servilleta no fue creada con tales fines.

Así como no deben hacer ruido con los cubiertos y vajilla, tampoco se les debe permitir gritar para pedir a los adultos que les alcancen tal o cual cosa. Es fundamental que aprendan a pedir por favor las cosas en la mesa y que digan gracias después, siempre en un tono mesurado y comedido.

Habrá algunos padres que levantarán su bandera en contra de mis recomendaciones, pero también habrá muchos que aplaudirán estos consejos.

El protocolo también se aprende en *kindergarten*

Nadie puede quedar fuera de las normas de etiqueta: ni las damas ni los señores, ni los oficinistast ni los niños. Ya lo dice el viejo refrán español que dice que "la fruta cae siempre cerca del árbol": nuestros hijos siempre repiten e imitan las acciones de sus referentes mayores. Es por eso que si en la casa se aplican normas de cordialidad y buenos modales, es muy difícil que los niños no las adopten con naturalidad. Por eso, sólo hay que recordar que bastan los buenos ejemplos para evitar situaciones incómodas en el futuro.

Lo mismo, pero en versión de bolsillo

Abraham Lincoln dijo, "educad a los niños y no tendréis que educar a los adultos". Las normas de buenos modales y las reglas de etiqueta son iguales para los adultos y los niños. Tampoco es necesario que los niños reconozcan el orden de los cubiertos en las cenas formales, ni la presentación de las cuatro copas de una comida protocolar, pero sí las normas básicas en la mesa (¡el resto lo podrán aprender después leyendo este libro!)

Los más chicos, además de comer adecuadamente, utilizar los cubiertos y poner la mesa, también deben mostrar la mejor actitud hacia el resto de los invitados a una reunión y, a partir de los tres años, puede enseñárse a los niños a comportarse en una mesa.

- Predicar con el ejemplo es el método de enseñanza más efectivo. Por más técnicas que intentemos inculcar, si no las ponemos en práctica nosotros, lo más probable es que los niños nunca las incorporen.
- Recompensa: es buena idea festejar cada comportamiento correcto de los niños; los buenos estímulos funcionan como un círculo virtuoso.

Para conocer y compartir ideas y técnicas de qué hacer con los niños pequeños en una reunión, hice *focus group* con algunas de mis amigas para identificar los errores más comunes y cuáles son las primeras reglas que deben absorber.

De errores, pataletas y caprichos servidos a la mesa arme este listado de premisas:

•Siempre deben usar el tenedor para comer. El cuchillo no se lleva nunca a la boca y está prohibido en la mesa hacer bolitas con las migas de pan.

• Masticar siempre con la boca cerrada. Una de mis amigas le dijo alegremente a su pequeño hijo: "Mauro, a nadie le interesa ver ni oír lo que está sucediendo dentro de tu boca".

• No hablar con la boca llena con comida.

• Comer lento, sin desesperación y poniendo atención a lo que se conversa en la mesa.

• Nunca llenar la boca de comida, se ve feo y es peligroso.

• Nunca hacer comentarios groseros frente a un plato que no les gusta. Si algo no es de su agrado, con confianza pueden decirlo, ya que los niños cuentan con la libertad de rechazar algo (siempre con educación) sin que los adultos se ofendan.

En la casa o en un restaurante, siempre se debe agradecer cada vez que le sirvan.

Si se trata de un *buffet*, ha que decirle que no tienen que correr a la barra de comida, lo correcto es esperar que el resto se haya servido para poder empezar a comer.

No es agradable verlos jugar con la comida del plato, embarrándola alrededor.

Antes que estirarse exageradamente para alcanzar algo, es mucho más cómodo y correcto pedir por favor a alguien mayor que se los alcance.

Un verdadero signo de que es un niño correcto y educado, es el de limpiarse la boca antes y después de beber.

La verdad es que los niños son una esponja que absorbe todo los que los rodea. El escritor Mark Twain decía que ya había terminado su educación a los cinco años, cuando entró a la escuela. La casa es el mejor caldo de cultivo para los buenos modales y un sello que acompañará a nuestros hijos siempre. La fruta cae cerca del árbol, no debemos olvidarlo.

Felices navidades, con un poco de ayuda del protocolo

Cada año, el acercarse el 24 de diciembre comienza a sentirse en el ambiente lo que yo defino como el SFN: Síndrome de la Fobia Navideña. Los síntomas comienzan a demostrarse gradualmente: todo comienza con un vistazo preocupado al calendario ("¿Qué? ¿Ya es diciembre?"), y empeora cuando aparecen las primeras luces de la decoración en las calles y los aparadores de las tiendas lucen complejos arreglos en las tiendas ("¡Ay, ya tengo que pensar en los regalos!"). Conforme pasan los días y se acerca la inamovible fecha, los afectados por el SFN van estresándose cada vez más, y el problema se agudiza si su casa fue la elegida para la reunión de Nochebuena.

No hay que tomarla tan a la tremenda, he aquí algunos consejos para bajar los niveles de SFN en las vísperas de las fiestas.

Para que el 24 de diciembre de verdad sea Nochebuena

A un par de semanas de la celebración anual, es conveniente "pasar revista" para comprobar que tenemos todo, comprar lo que nos falta y hacer un balance de la situación. Para eso es muy útil hacer una lista con estas prioridades.

Cubiertos y piezas de servir

¿Están completos? ¡Que no nos falte la pala para el pastel y que ni un comensal se quede sin cuchillo! Examinemos todo y reemplacemos lo que falta. Si nuestros cubiertos son de plata, estamos a tiempo para lustrarlos muy bien, y dejarlos listos para brillar en la mesa. Si no lo son, hay que pulirlos bien y dejarlos relucientes junto a los platos.

Cubrir la mesa

Es el mejor momento de lucir nuestro mejor mantel de la colección, y por eso hay que observar que esté en perfectas condiciones. Puede caer en los colores tradicionales como verde o rojo, o bien optar por el elegante blanco tradicional y hacer sólo hincapié en la decoración de porta servilletas, tarjeteros y floreros, que también aceptan los tonos plata u oro como fondo. Si la cena no es formal, ¡simplifiquemos las cosas! Usemos manteles individuales en lugar de uno completo y es una opción incluso más económica que permite jugar con los tonos de ocasión y nuestra propia vajilla.

La vajilla completa

¿Qué tal la cristalería? ¿Está el juego de copas completo? No olvide que necesita una copa para el agua, y una para cada tipo de vino. Examine todo con "ojo crítico" para evitar sorpresas a media tarde del día 24.

Las bandejas para servir

A la hora de planear el servicio, ¿tenemos suficientes bandejas? Si serviremos el café o té aparte, necesitaremos una en combinación con distintas piezas de servicio. ¡Pero eso no es suficiente! También debe tener otras para colocar bocadillos, panecitos, canapés, rollos de jamón, trocitos de queso y demás aperitivos. En cuanto a la ensaladera, ¿tiene una lo bastante grande para contener la ensalada y aliñarla en la mesa sin que las verduras se salgan o el aderezo se derrame? Si no, puede usar dos iguales más pequeñas, una en cada extremo de la mesa.

Deby recomienda

En la cena navideña se mantiene la etiqueta de una cena formal. Y para que no las olvidemos, aquí están algunos consejos:

- En la mesa, la servilleta debe colocarse a la izquierda del plato o encima de éste.
- El agua y el pan pueden servirse antes de que los invitados se sienten.
- La servilleta debe extenderse apenas por debajo de la mesa, colocándola en el regazo.
- El pan se corta siempre con las manos, en trozos pequeños y sobre el plato correspondiente. No se debe usar el cuchillo para tal fin.
- No se debe empezar a comer hasta que una de las señoras lo haga o bien coloque el tenedor sobre el plato.
- Si queremos hacer una pausa en la comida, los cubiertos deben reposar en el plato. Se colocan en 45°, el tenedor con las puntas hacia abajo y el cuchillo con el filo hacia adentro.
- Si terminamos y deseamos que nos retiren el plato, debemos colocar los cubiertos de forma paralela, sobre el plato (haciendo la similitud con las agujas de un reloj, en la posición de las cuatro y veinte).
- Los alimentos se cortan a medida que se van comiendo y sólo se permite cortar completamente en trozos el alimento de los niños y personas discapacitadas o muy mayores.

Decoraciones tradicionales

Decorar la mesa para las fiestas decembrinas implica hacer el mayor despliegue del año, poner todas las cartas sobre la mesa, cerrar el año rodeado de buen gusto, color y estilo, para predisponerse a que el siguiente año sea mejor.

No digo que los eventos navideños requieran de estricta gala, trajes, vestidos largos y escena de película hollywoodense. Sólo hablo de un poco de encanto. Y para esto no hace falta un presupuesto especial... sólo necesitamos planificación.

Para los amantes de lo clásico, las velas grandes siguen siendo una opción que no pasa de moda, lo mismo que las frutas, combinadas con hojas verdes e inmensas, se han puesto muy de moda. Éstas tienen que estar encendidas antes de que los comensales se sienten a la mesa y no se deben apagar hasta que se levanten. Las velas deben colocarse a ambos extremos del adorno central y si vamos a ofrecer dulces, turrones o mazapanes, éstos deben ubicarse en el espacio que queda entre el adorno central y las velas. Resulta muy útil tener identificados a los comensales antes de sentarse. Unas simples tarjetas con su nombre escrito con sencillez, o postales adquiridas para el evento en cuestión, evitan el desorden a la hora de acomodarse a la mesa.

Martha Stewart, la conductora de televisión estadounidense, usa hasta los propios cubiertos para atarlos con una tarjeta (como la etiqueta de los precios de la ropa) donde escribe a mano los nombres de los comensales sobre cada plato. Con este detalle se evita conflictos y sabe a quién sentará lejos de quién.

Ahora bien, con esta guía de planeación, espero que si usted es uno de los miembros de los SFN, pueda bajo planificación, aminorar los síntomas y disfrutar de estas estresantes pero siempre bienvenidas fiestas decembrinas.

¿Quiere una Navidad como en antaño?

A finales del siglo XIX, la Navidad tuvo un auge inusitado, y la decoración era "de rigor"; muchos detalles aún están vigentes y pueden ser utilizados dos siglos después, tales como:

- Decorar el árbol con pequeños regalitos envueltos con papeles brillantes y lazos miniatura; pueden usarse empaques de aretes, anillos o cerillos, forradas en colores contrastantes con los de los demás adornos que pondrá.

- Las coronas de follaje tipo pino se colocan alrededor de las bases de las lámparas en la sala, comedor y pasillos, eso les dará un aire festivo "hasta el techo".

- Pequeños lazos de cintas de tela pueden colocarse en los brazos de candelabros sencillos o múltiples; los lazos rematados con borlas son para los respaldos de las sillas del comedor, esa misma cinta puede "atar" las cortinas de la sala o del comedor.

- Encima de la mesa, luce bien un frutero con manzanas, ramas de pino y un lazo de cinta navideña. Tenga siempre ahí galletas y frutos secos.

- Todos los candelabros pueden unificarse usando velas del mismo color, pero de formas y tamaños diferentes.

Buenos días con la mejor actitud para dar los regalos

Algo tan bueno como recibir regalos es entregarlos, pero para hacerlo correctamente, sí, en efecto hay recomendaciones de etiqueta para las sorpresas que llegan envueltas y con moños. ¿Qué regalo para tal o cual ocasión, cuáles son las normas de protocolo? Éstas son algunas preguntas que nos hacemos desde el momento en que tenemos (o deseamos) hacer un regalo, pero debemos considerar hasta que nos llega el agradecimiento de esta persona y hay una serie de pasos que seguir, errores que evitar y hasta reglas de protocolo que cumplir. Por lo tanto, "manos a la obra" o mejor dicho "moños a la obra".

Los deberes del regalador

Cuando damos un presente, es nuestra obligación elegir el apropiado para cada persona. Sin pensar en nuestro gusto personal, sino poniéndonos en los zapatos de la persona a la que queremos halagar. Asimismo debemos asegurarnos de que el regalo llegue a tiempo. Si llega tarde, quedará como un olvido salvado a último momento. También debemos entregar el regalo amistosamente. Vale decir, sin estridencias ni condicionantes.

Deby recomienda

La clave para elegir un regalo es pensar siempre en que el obsequio va de acuerdo con la persona y no el que creemos que puede ir con la persona. Los regalos comprados a último momento no tienen valor: si queremos ser recordados por nuestra originalidad, tomemos la tarea de averiguar gustos, *hobbies* y hábitos. La mejor manera de regalar es hacerlo con objetos vinculados a sus afinidades.

Niños: sirve llamar a sus padres unos días antes. Un certificado de donación a una organización de vida silvestre es posible que lo emocione más que otro juguete a la colección.

Ropa: es uno de los regalos más complicados, porque debemos conocer muy de cerca de la persona. Una buena alternativa es un certificado de regalo de la tienda que suele frecuentar.

Personalidad: los mejores regalos se consiguen en todos lados. Muchas veces no se trata del valor o de la moda, sino de la creatividad. Cualquier objeto se puede convertir en mágico con una excelente tarjeta o un mensaje escrito a mano con verdadera calidez.

Las reglas cuando recibimos un regalo

Debemos agradecer siempre el obsequio, ya sea telefónicamente o con una tarjeta. Un *tip* para tener en cuenta cuando recibimos muchos regalos de una sola vez (por ejemplo después de una boda, un cambio de empleo o festejo de un aniversario) es anotar en un cuaderno qué regalo recibimos de quién y ayuda también un pequeño comentario al respecto. Luego, cuando los festejos hayan terminado, reserve una hora de su agenda para confeccionar las tarjetas de agradecimiento. Los mercadólogos lo llaman "marketing uno a uno": hacer sentir a cada uno como una persona especial y única que tuvo el detalle de pensar en nosotros.

Esta costumbre se convierte en un círculo virtuoso y, a la vuelta de un par de eventos, todos sus amigos y conocidos tomarán este gratificante hábito.

El éxito del previsor

El primer paso es la organización de la información: busquemos un calendario para señalar en su fecha cada uno de los cumpleaños, aniversarios, días especiales (madre, padre, niños), celebraciones religiosas y festejos varios a los que haya sido invitado con anticipación.

Bastará que marque con una o dos semanas de anticipación la fecha en su agenda para recordar que tiene que comprar un presente. Si nos invitan a una fiesta, tomemos la precaución de llamar a los organizadores para consultar si el resto lleva o no regalos (evitemos quedar fuera de lugar).

Para cumplir con las reglas del regalo ideal, sólo se trata de encontrar la verdadera personalidad del protagonista y saberla reflejar aun con un pequeño presente. Tomemos el tiempo para pensar creativamente qué obsequio comprar; hacerlo o salir de improviso a encontrar lo que primero que encontremos, es la delgada línea que nos separa de las personas inolvidables.

Sin motivo aparente

Algunos de los más memorables regalos son aquellos que enviamos a otros para alguna fecha especial, vale decir su cumpleaños, su graduación o su boda. Pero sorprender a alguien con un regalo sin una razón en especial, más allá de la sola idea de homenajearlo, puede ser mucho más recordado que si llega junto con el resto de los paquetes. Esto se aplica tanto a la vida diaria como en los negocios: no son pocas las empresas de marketing que envían regalos especiales a sus clientes, sin ningún motivo aparente excepto el de hacerlo sentir importante y de mantener vivo el contacto y la recordación.

¿Lo abro ahora o después?

Siempre es mejor que abramos los regalos apenas los recibimos, excepto en las bodas o en los eventos multitudinarios, donde abrir todo es imposible. Parte de la diversión de regalar es ver la expresión de la persona que recibe el presente. La etiqueta indica que, al hacerlo, realicemos comentarios por cada uno que hagan sentir en iguales condiciones a las personas que lo trajeron. Por eso hay que ser equitativos a la hora de los agradecimientos, los elogios y el entusiasmo, para no herir sentimientos.

Etiqueta en fila india

Todos sufrimos y protestamos cuando nos toca estar en una, pero no nos queda otra que aplicar en las filas las mismas normas de urbanismo y buenos modales que usamos en condiciones más formales. Resulta cansado y aburrido y si no fuera porque esperamos por algo importante, nadie aguantaría a pie firme consumiendo paciencia.

Banco, oficina pública, colegio, trámites insoportables... todos llevan como prólogo una cola que merece paciencia, y también etiqueta. ¿Y qué tiene que ver el protocolo con este inmenso y largo Vía Crucis hasta una ventanilla? Mucho, como podremos ver en las siguientes frases que señalan algunas malas prácticas en las filas.

"Me gusta colarme"

Mal. Es una de las acciones más rechazables. No tenemos derecho a perjudicar a quienes llevan más rato que nosotros en la fila y que han conseguido un espacio que les permitirá terminar antes de nosotros.

"Me gusta apretar"

Error. Por más cerca que nos pongamos de la persona que está delante, no vamos a llegar antes a nuestro destino. Una de las principales normas es respetar el espacio ajeno y nunca invadirlo.

"Me gusta protestar"

Pésimo. Por más que digamos de corrido la colección más vanguardista de insultos, que gruñamos o despotriquemos contra las razones por las que estamos en la fila, no avanzaremos más rápido de lo que podemos hacerlo en sana paz. Si la desconsideración de quienes atienden o la mala organización son las razones del retraso, los reclamos debemos hacerlos en el lugar correspondiente (por carta o personalmente). Hacerlo mientras estamos formados sólo aumentará el malhumor de las personas a su alrededor, haciendo más árida la espera.

"Que nadie me gane"

No. Si en la fila hay alguna persona en una situación especial (de salud, con niños pequeños, o anciana) simplemente déjela pasar. Federico Schelling fue quien dijo que "una persona mal educada es la caricatura de sí misma".

"Usted es el culpable"

Después de una larga espera, llega nuestro turno frente a la ventanilla, del banco por ejemplo, y entonces reclamamos al dependiente de manera sonora y grosera, por todo el tiempo perdido. Mal, muy mal. No quisiéramos estar en el lugar de esta persona que más que ser el padre de todas sus desventuras, es una víctima más del sistema o bien de la institución que no suma más empleados para acortar los tiempos de gestión por parte de los mismos.

El mundo de las filas de espera. Requiere de paciencia Zen, de respeto a prueba de irritabilidades y de una enorme cuota de buen humor. Un consejo para escapar al mundo de las filas: más que quejarse, muchas veces hay que ocuparse. Si odiamos formarnos en fila india frente a una puerta o ventanilla, hagamos uso de la tecnología para hacer pagos o trámites *on line*; aprovechemos las posibilidades de los cajeros automáticos e investiguemos que tanto es posible que programemos en automático los pagos de la mayor cantidad de servicios posibles. Esto le dará trabajo la primera vez, pero luego cuando se mecanice el proceso verá qué bella es la vida más allá de las filas.

El mundo de las filas, según Murphy

Amo la increíble obviedad y el dramático realismo de las Leyes de Murphy. Las que escribió en torno al tema de las filas son tristemente reales y fáciles de padecer:

- Llegue a la hora que llegue, siempre habrá más gente en la fila.
- La otra fila, la que sea, siempre avanzará más rápido.
- Si cambiamos de fila, la que acabamos de dejar empezará a avanzar más deprisa que la nueva.
- Si volvemos a la que dejamos, lo único que conseguiremos es que se produzca un tumulto y todo el mundo se moleste con nosotros.
- Cuanto más tiempo llevemos formados, más probabilidades hay de que nos hayamos equivocado de ventanilla.
- Si corremos hacia una hilera más corta, antes de llegar será larguísima.
- Cuando esperemos en una fila muy larga, la gente detrás de nosotros maniobrará y se colocará en la caja que acaba de abrir.

- Si abandonamos durante un segundo una fila corta, se convertirá en una larga hilera.
- Si estamos en una fila corta, la gente que nos precedes meterá a todos sus amigos y parientes y se convertirá en una muy larga espera.
- Una hilera en el exterior de un edificio, seguro es larguísima en el interior.

Cómo comportarse en un desfile

Es una situación que no a todos nos afecta, pero más vale estar preparados para cuando recibamos nuestra primera invitación a los desfiles de moda que suelen abundar en las tiendas departamentales, apenas llegadas las nuevas temporadas, con su invasión de salones y pasillos con luces, *flashes*, largas piernas y prendas espectaculares.

A raíz de mi asistencia a un desfile especialmente concurrido debido a la presencia de la *top model* española Esther Cañadas, caí en la cuenta de que muchos asistentes desconocen el ABC de la etiqueta en los desfiles.

A pesar de que no tengamos que caminar mirando el horizonte desde una pasarela elevada, y nos encontremos en una más cómoda posición sólo mirando, es necesario saber que hasta para eso hay normas preestablecidas. Lo importante es no perder nunca la compostura ni los nervios, pese a las miradas recibidas por encima del hombro, los empujones, los retrasos desesperantes o los modales patibularios de la organización y demostrar un templado *savoir faire* para no despeinarse ni siquiera cuando la editora de la revista de moda más importante, *¡ouch!*, nos informa con cara de pocos amigos que estamos ocupando su asiento.

Por eso, ¿qué debemos hacer desde nuestra butaca como espectadores? Esto es lo que no debemos olvidar:

El hábito sí hace al monje:

En un desfile se ve de todo, arriba y abajo de la pasarela. Pero no todo es válido. Los y las gurús de la moda, léase estilistas, periodistas, estrellas, modelos, etcétera, acuden ataviados con espectaculares prendas del diseñador que desfila, a modo de homenaje y entrega de fan. Para dar el contraste, sólo queda presentarse con algún modelito del máximo competidor del modista en cuestión. O sea, en un desfile de Versace, con un Roberto Cavalli.

Personalidad

Lo mejor es demostrar estilo propio, más o menos estridente pero sabiendo que nos sienta como un guante. Importante: hay que demostrar confianza en uno/a mismo/a y no apocarse jamás. Está bien repetirse antes de entrar en el circo eso de: "Para espectacular, yo". No sea que nos vaya a dar una depresión.

La posición perfecta

La primera fila es la más codiciada porque permite codearse con los VIP y vislumbrar la caída del escote de Esther Cañadas, la mirada asesina de Tyra Banks o la última peca de Lupita Jones. Bueno, y también hasta el último detalle de la ropa. Siempre reservada a personalidades, famosos y críticos, allí se sientan las caras más famosas de la ciudad que luego serán inmortalizadas en las columnas de sociales y en la prensa rosa. Sin embargo (y no es ofensa), lo que toca es la segunda fila para una presencia más relajada y desde la que se puede controlar a placer el panorama.

Dar la nota

¡Nunca! Hay que ser discretos. Nada de llamar la atención de alguien que hemos visto por otras butacas. Un consejo para avisar a otros de dónde estamos: marcar a su celular e indicarle donde estamos ubicados. Eso de hacer señas como en el mercado, ¡jamás! Los protagonistas ya están caminando sobre la pasarela.

Antifans

Es absurdo acercarse a saludar a los famosos, intentar hacerse una foto con ellos, aplaudir su presencia o incluso increparles. Consejo: no hay que hacerles el mínimo caso. Si quieren publicidad, que la paguen.

Lengua silenciosa

Está bien visto acercarse para dar la enhorabuena al diseñador porque nos ha deslumbrado su colección; adelante, acerquémonos para decírselo. Pero si su estilo nos ha horrorizado, mejor mantengamos la boca cerrada. La indiferencia es el látigo más castigador de todos.

Meseros que ignoráis al cliente sin razón

La indiferencia de los meseros me deprime antes de comer. Cual observadores ausentes miran sin horizonte mientras uno trata por todos los medios (y señas) de que traigan el pan, más vino o la cuenta. No es una situación fuera de lo común que estemos en un restaurante casi vacío y esperando –como una Penélope hambrienta– que algún mesero del batallón que tenía disponible el lugar, nos mire. Sin otras intenciones más que nos traigan, por favor, el agua, el pan, fuego, un cenicero, la carta.

Pero mientras nosotros aguardamos con una sensación de vacío en el estómago, parte del personal de servicio habla en un grupo entusiasta, mientras otro mira al infinito, más allá de las ventanas... a la calle. ¿De qué manera podemos hacer que estas ausentes almas nos miren? ¿Cómo atraer la atención de quienes se supone deberían estar pendientes del comensal y no de otra cosa?

Inversamente proporcional

Como si se tratara de una fórmula matemática: cuanta menos gente hay, cuanto más vacío está el restaurante, la indiferencia es mayor. En cambio, la relación es directamente proporcional: a mayor cantidad de clientes, mayor velocidad y más eficiencia, sin depender del número de personal en servicio. Cuando las mesas están repletas, los meseros no encuentran descanso poniendo más vino aquí, cambiando el pan allá, sonriendo a la clienta del rincón, sirviendo la pasta, colocando la servilleta y al mismo tiempo haciendo la cuenta para los que recién decidieron partir. En cambio, cuando hay pocas mesas ocupadas reina la lentitud, el ambiente Zen... y empezamos a pensar qué gesto nuevo inventar para no hacer el ridículo frente al resto de los presentes y para que finalmente el mesero nos haga caso.

Por experiencia, cualquier movimiento de cejas, manos, hombros, cabeza... funciona. Lo único que hace falta es armarnos de paciencia y esperar que alguno de ellos lo observe.

Despacio y confuso

A la lentitud y la falta de atención le sigue la confusión. Como si se tratara de una Ley de Murphy, a menor cantidad de gente, mayor confusión en los pedidos. Si hay sólo dos mesas ocupadas en un restaurante, seguro que en vez de verduras al vapor nos servirán puré y si en tiempos normales esta guarnición se tarda 15 minutos, tendremos que aguardar 40. No se trata de un fenómeno aislado: cualquiera de los *rankings* de los mejores restaurantes es comparable con la velocidad e indiferencia de sus meseros.

Tal vez los empresarios gastronómicos piensan que no han descuidado ningún detalle: la decoración es original, el chef es muy reconocido, el menú es diferente y con personalidad, la carta de vinos es cuidada y selecta... pero si el último eslabón, que es el contacto directo con el cliente, está tan frágil… la cadena se romprera en poco tiempo, justo en ese punto que no había tenido en sus planes.

Sólo para cerrar: un cliente inconforme no es sólo un cliente menos: “la mala fama” se expande en el boca a boca y se pueden perder no menos de diez.

Los buenos modales
no se sepultan

¿Por qué reímos en las bodas y lloramos en los funerales? Porque no somos los protagonistas, decía Groucho Marx. Al margen de las historias que suelen decir que los mejores chistes se cuentan en los funerales, lo correcto es actuar conforme a la seriedad del momento y con absoluto respeto al dolor de los afectados. Ésa es la regla básica del protocolo para los funerales.

Había una serie de televisión extraordinaria llamada *Six Feet Under*, y fue precisamente uno sus capítulos el punto de partida para razonar sobre los momentos difíciles por los que todos pasamos, y las buenas maneras y comportamientos que deben tenerse en cuenta.

Ernesto Sábato dijo alguna vez que todos los hombres eran un poco héroes, porque nacían sabiendo que irremediablemente iban a morir. Más allá de los sentimientos filosóficos que giran entorno a este tipo de eventos, siempre es necesario saber cómo actuar.

Los funerales son un buen ejemplo de cómo el protocolo puede solucionar una situación embarazosa en la que muchas personas no saben desenvolverse con naturalidad, porque no aplican el sentido común: atuendo serio y actitud de respeto.

El momento del pésame

Una forma correcta de transmitir las condolencias a la familia del difunto, en caso de no poder asistir a los funerales, es una carta manuscrita. No debe ser demasiado larga; apenas unas líneas que eludan la cursilería o la grandilocuencia excesiva. Si asistimos al sepelio, se debe dar el pésame al familiar más allegado del difunto, siempre de forma sencilla, sin escenificar grandes escenas de dolor. El pésame se da al término del funeral, aunque también se puede dar –lo que es más práctico y oportuno– al comienzo.

Callemos al celular

En medio de un funeral, tomemos la precaución de poner en modo de silencio nuestro teléfono móvil. Es una manera de respeto que no debemos pasar por alto.

Ofrendas florales

Antes de enviar una corona o un ramo a la funeraria, hay que llamar para que le indiquen si la familia está aceptando flores o si, en cambio, han decidido que el dinero de los arreglos florales sea enviado a una institución benéfica.

Código de vestimenta

El negro es el color más clásico para su traje o para su vestido, pero no es el exclusivo. La única de norma de etiqueta que se aplica es la de vestir de una manera sobria, poco llamativa y sin estridencias. Un amigo decía que lo más importante en una lápida era esa línea que separa la fecha de nacimiento de la de la muerte: es decir, ese pequeño signo que resumía su vida.

Hasta ahora sólo habíamos hecho hincapié en las lindas situaciones de la vida, en la manera de poner los cubiertos, de servir en una mesa formal o de seleccionar la comida para un coctel. Pero este otro evento social (aunque suene extraño escrito de esta manera) también requiere de pautas y normas. La muerte es un bien incurable. Sólo el respeto nos permite manejar este tipo de situaciones con más soltura.

La venganza del anfitrión

Ahora que ya sabemos todo el *know how* de cómo atender y halagar a nuestro invitados en casa, llega la recompensa: visitar hogares ajenos. Si bien es cierto que lo único (casi) que debe preocuparnos ahora es qué ropa llevaremos y cómo la combinaremos, debemos recordar que el protocolo no sólo está para las anfitrionas.

Si queremos ser invitados especiales e inolvidables, también debemos ajustarnos a ciertas normas sociales. Por eso, reformulo ese dicho de "no le hagas a los demás lo que no te gustaría que te hicieran a ti", que en este caso debería ser "trata a tu anfitrión como si tu mismo lo fueras".

• Si vamos retrasados, debemos llamar al anfitrión y, una vez en la casa, llegar de manera disimulada y sin hacer mucho escándalo.

• Llegar demasiado temprano es tan inaceptable como llegar muy tarde. Si nos ponemos en el lugar de la persona que organiza el evento, comprenderemos que cuando alguien llega antes, tenemos que entretenerlo y al mismo tiempo dar los toques finales a la organización, revisar que no falte nada. Si llegamos demasiado temprano hagamos un poco de tiempo caminando por el vecindario.

• Nunca debemos asumir que un invitado extra es una compañía bienvenida, menos aún si no hemos avisado que se sumaría a la reunión. La planificación de la comida, la bebida y los lugares en la mesa se hicieron para un número de invitados confirmados y no con un número estimativo de "invitados de última hora".

• Saber cuándo la fiesta terminó. La etiqueta señala que el tiempo prudente para permanecer después de que la cena terminó, es una hora. Claro, la situación, la cordialidad de la charla y el movimiento de la fiesta lo pueden demorar un poco más.

• El adiós debe ser breve y oportuno. ¿No se han encontrado con alguien que nunca termina de decir adiós?

No es poético, es angustiante: son esos invitados que se despiden, caminan a la puerta y se siguen despidiendo, llegan a la puerta y se acuerdan de hacer comentarios y su último adiós parece no serlo jamás. Pensemos en el pobre anfitrión que debe dividirse y prestarnos atención, abandonando al resto de los invitados. Al grano: adiós es adiós, sin preámbulos y sin desconcentrar a los organizadores.

- Se aprecia ser agradecido. A mí (y a cualquiera que haya pasado horas detrás de la organización de un evento) me gusta que me agradezcan la deferencia por la invitación. Enviar flores al día siguiente a la casa donde fue recibido es un gran detalle, pero también es buena idea mandar una tarjeta o hacer una llamada telefónica.

Sólo siendo un buen invitado logrará luego ser un excelente anfitrión. Se trata más de ponerse en el zapato de quien lo organizó que de seguir a pie juntillas los más estrictos manuales de protocolo. ¿Simple, verdad?

¿Qué tanto aprendimos?

No se trata de hacer un examen o repaso final de lo que expusimos a lo largo de las páginas de este libro. Siéntase seguro o cambie sus hábitos después de este cuestionario que le dirá cuánto conoce de las buenas maneras.

Hay actitudes que son naturales; hay modos que creemos correctos porque los hemos hecho mecánicamente durante años, pero que están lejos de las normas de etiqueta. En el mundo de los negocios, las primeras impresiones son las que cuentan, y esta frase debemos grabarla a fuego en nuestra mente. Es por eso que, al movernos en el mundo ejecutivo, debemos tener siempre presentes las buenas maneras y el protocolo de ayer, de hoy y de siempre.
¿Se anima a probar cuánto conoce de etiqueta?

1. Usted es de los que llega a una reunión e inmediatamente reparte muchas de sus tarjetas personales como una manera de presentación y promoción.

Correcto / Incorrecto

2. Acaba de decidir cambiar el sitio de una junta y a pesar de ello modificó la actitud y predisposición del resto de los participantes.

Correcto / Incorrecto

3. Acostumbra mencionar siempre a la persona de más alto rango en una presentación en público.

Correcto / Incorrecto

4. Como líder usted está convencido de que es mucho más influyente transmitir ideas personalmente, que por *mail* o por teléfono.

Correcto / Incorrecto

5. Nunca toma notas en una junta porque considera que es inapropiado ya que rompe el contacto visual con el resto de los presentes.

Correcto / Incorrecto

6. Usted sabe que es de muy buena educación repetir toda la información que se ha dado en una junta a aquellos invitados que llegaron tarde.

Correcto / Incorrecto

7. Siempre ha considerado que el lugar de "poder" está exactamente a la derecha de la cabecera.

Correcto / Incorrecto

8. Quien lo conoce de cerca sabe que siempre se interesa por las preferencias deportivas de sus clientes porque ésa es una buena señal de cortesía.

Correcto / Incorrecto

9. En las pláticas siempre menciona nombres importantes, porque está convencido de que es un símbolo de etiqueta, conocimiento y buenos contactos.

Correcto / Incorrecto

10. Si la broma que hizo alguien no es divertida, lo indicado es reírse de cualquier manera.

Correcto / Incorrecto

11. Es de buena educación compartir la culpa con alguien que acaba de hacer el ridículo.

Correcto / Incorrecto

12. Su secretaria ya lo sabe: para usted no hay nada más importante que hacer cita para telefonear a alguien importante, de la misma manera que lo haría para visitarlo

Correcto / Incorrecto

13. Siempre lleva su coche bien lavado, porque las normas de protocolo adjudican un automóvil sucio a un ejecutivo deprimido.

Correcto / Incorrecto

14. Nunca toma medicinas delante de sus clientes, porque es una falta de educación.

Correcto / Incorrecto

15. Como es de costumbre cuando va a jugar tenis o golf con alguno de sus clientes, se deja ganar. Es una norma de etiqueta que nunca olvida.

Correcto / Incorrecto

16. El protocolo indica que las mujeres siempre asistan acompañadas a reuniones sociales de su entorno laboral, como cocteles y cenas.

Correcto / Incorrecto

17. Sólo cuando se lleva una corbata muy fina, la etiqueta permite que se cuelgue la servilleta al cuello de su camisa.

Correcto / Incorrecto

18. Cuando una reunión ya se ha vuelto con poco sentido, usted sabe que la manera más correcta de dar a entender que ya se quiere retirar, es mirar con insistencia su reloj.

Correcto / Incorrecto

19. Usted vivió un romance de oficina e hizo lo que el protocolo de empresas indica: se lo ocultó a su jefe.

Correcto / Incorrecto

20. Cuando es invitado por una ejecutiva a comer para hablar de negocios, permite que ella pague la cuenta. Ella es la dama de la mesa, pero ante todo es quién convocó la junta y en este sentido no hay géneros débiles.

Correcto / Incorrecto

Respuestas:

1) I. ; 2) I. ; 3) C. ; 4) C. ; 5) I.; 6) I. ; 7) C.; 8) C. ; 9) I. ; 10) C. ; 11) I. ; 12) C. ; 13) C. ; 14) C. ; 15) I. ; 16) I. ; 17) I. ; 18 I. ; 19) I. ; 20) I.

Si la mayoría de las respuestas, no menos de 90%, fueron correctas, usted es un cultor de los buenos modales y debe andar por la vida dando *clases* de etiqueta. Si sus respuestas estuvieron entre 60 y 70% correctas es normal, pero es necesario que consulte los resultados y entienda que algunas situaciones que siente normales están en realidad mal vistas en el mundo de los negocios. Pero si respondió apenas un 50% correctamente... ¡alerta! Está dejando que sus actitudes echen por tierra todos los méritos que trata de sumar a su *curriculum* día a día. Le recomiendo lea las respuestas nuevamente y tratar de ir incorporando con la mayor naturalidad estas máximas de la etiqueta y el buen modo.

Los embajadores opinan

Los embajadores son esos personajes con impecable estampa, formales y al mismo tiempo seductores. Se mimetizan con el entorno, llegan a los eventos con puntualidad suiza, son sibaritas y tienen más mundo que la guía Lonely Planet.

Aquí les ofrezco estos tres relatos que nos presentan la brújula de la etiqueta diplomática. Comencemos con mi amiga Manuela Vulpe, la embajadora de Rumania:

Protocolo, etiqueta y diplomacia

El ser humano siempre ha intentado sentirse integrado y aceptado en la sociedad. Se aleja de los momentos delicados de su vida que puedan representarle un ridículo. La sociedad ha incorporado pautas de comportamiento y formas propias manifestarse, integradas en reglas generales de convivencia. Ya sea escritas o no, estas reglas y costumbres que nos permiten desenvolvernos adecuadamente en diferentes ambientes se conocen generalmente como *etiqueta*. En otras palabras, *la etiqueta* representa las reglas de cortesía y buenos modales indispensables para suavizar las no siempre fáciles relaciones personales. Otra definición: el arte de no ser *esnob*.

Cada vez más gente encuentra que términos como *etiqueta*, *protocolo* o *diplomacia* representan puntos de referencia en su comportamiento diario.

En su sentido original, podemos definir el protocolo como el conjunto de normas y disposiciones legales vigentes que, unido a los usos, costumbres y tradiciones de los pueblos, rige la celebración de los actos oficiales, es decir, de aquellos actos organizados por la administración central, autónoma o local.

Para algunas profesiones, el protocolo es parte de las obligaciones laborales. En nuestro caso, las definiciones comunes del trabajo diplomático hacen referencia a las restricciones impuestas en el trato diario. Por ejemplo, se dice que un diplomático sería una persona que *piensa dos veces antes de callarse* o *un señor bien educado que miente fuera de las fronteras para el bien de su país*. Si un diplomático dice *sí*, esto significa *posiblemente*. Si dice *posiblemente*, esto significa en realidad *no*; si dice *no* entonces no se trata de un diplomático. Y muchas otras…

La percepción común de que el protocolo es una falta de honestidad muy profesional, a nivel de arte, no es verdad. Un buen trabajo en otro país se hace cuando conoces bien a la gente, sus costumbres, sus tradiciones y sus valores, respetándolos y encontrando puentes de cooperación y aproximación entre los pueblos.

El protocolo puede parecer un dominio rígido y está asociado, por quienes no lo conocen, con la ostentación, vanidad, mucha pompa y actos conservadores. Pero asimilando las normas de protocolo veremos que simplemente podemos ser... *tan protocolarios*.

En el lenguaje común, cuando hablamos de protocolo nos estamos refiriendo a tres términos: protocolo, etiqueta y ceremonial.

• El protocolo representa *las normas* (reglamentaciones, leyes, decretos, etcétera).

• El ceremonial es *la forma* (la presentación de proyectos de aproximación entre dos partes, las posiciones, la creación de un ambiente agradable para las conversaciones, etcétera).

• La etiqueta es *la for*ma (vestido, comportamiento, comunicación).

Tenemos que precisar que no existen normas de comportamiento incompatibles con el buen humor, el estado relajado y confortable, manifestados en función del lugar y el ambiente en cual estamos.

El conocimiento de la etiqueta y el protocolo se convirtieron en un nuevo lenguaje internacional y, por consiguiente, son indispensables para actuar, no solamente para los diplomáticos, pero también para el mundo social y empresarial.

Para un diplomático, la imagen es muy importante. Esto no significa que sustituye su trabajo, sino que la imagen forma parte de sus obligaciones. Pero esta apreciación es aplicable a cada uno de nosotros en los ámbitos laborales o privados.

Hoy en día, la diferencia entre el comportamiento de un diplomático y de la gente común es cada vez más pequeña. Por un lado, las normas de etiqueta y protocolo son un hábito de toda la gente, no solamente entre diplomáticos. Por otro lado, también quienes laboran en una representación extranjera tienen un comportamiento acorde con las normas del país en que trabajan. No es nada inusual encontrar a un embajador en mezclilla, de compras o en un partido de futbol. Así que, aplicar la etiqueta o el protocolo llega a ser una filosofía de vida que dignifica el comportamiento de quien los practica, mejorando la imagen y aumentando el respeto en su entorno. Conocer las reglas del protocolo nos proporciona, en cualquier circunstancia, seguridad para nosotros, como también la imagen de naturalidad y distinción.

Las reglas de conducta o *de comportamiento* a las cuales se refiere la etiqueta contribuyen al buen desarrollo de las relaciones en la sociedad, en general, y a un desarrollo normal de la actividad diplomática. Resaltamos la importancia de conocer y aplicar esas normas por cada diplomático ya que desconocerlas o ignorarlas puede conducir, a veces, a interpretaciones erróneas, a complicaciones políticas que superan la esfera de las relaciones estrictamente personales. Con buena razón, no se pueden concebir relaciones entre los Estados sin el contacto humano necesario y, dentro del mismo, sin respetar las reglas de la etiqueta.

Es muy fácil de entender por qué son tan importantes estas reglas. No conocerlas puede considerarse como una falta de competencia profesional de un profesional llamado a representar los intereses de un Estado en el campo de las relaciones exteriores. Conocer y respetar las reglas de etiqueta constituye el *abc* de la diplomacia.

El protocolo no determina vencidos y vencedores, sino jerarquías naturales entre Estados, instituciones o personas. Los principios protocolarios se aplican a todos, de igual manera. El protocolo no complica, sino simplifica las cosas; no crea problemas, sino ayudan a resolverlos. Respetar las normas de protocolo no significa *esclavitud social* o *hipocresía necesaria* porque las reglas son tan claras que ponen a cada uno en su lugar.

Las normas sociales deben ser conocidas y respetadas siempre para nuestro bien, para nuestra imagen. Hay tantas situaciones en que podemos sentirnos incómodos si no sabemos reaccionar –derramamos una copa vino (evidentemente tinto) sobre un mantel (evidentemente blanco), tenemos que rechazar una invitación que no nos gusta, ¿cómo lo hacemos? ¿Cómo servir los cubiertos a un zurdo? Al brindar, ¿chocamos o no las copas? ¿Qué hacemos cuando el mesero nos muestra el corcho de la botella que pedimos? ¿Cuál es la etiqueta en Internet? ¿Qué hacemos cuando encontramos una persona con capacidades diferentes? ¿Cómo tenemos que preparar un discurso publico para tener éxito?, etcétera, etcétera.

La imagen es muy importante para cualquier persona. No existe una segunda oportunidad para hacer una primera impresión, así que mejor aprendamos a comportarnos.

Embajadora Manuela Vulpe
Embajada de Rumania en México

Una historia *de etiqueta*

El protocolo diplomático es un conjunto de reglas generales, tradiciones y convencionalidades que se observan en las relaciones internacionales. Los principios de la "cortesía internacional", producto de una práctica multisecular, tienen carácter universal en serio. Al mismo tiempo, el protocolo de diferentes países tiene sus singularidades, condicionadas por la historia, tradiciones nacionales y costumbres de cada Estado.

El servicio contemporáneo ruso de protocolo no partió de cero. Basado en las normas de ceremonia y etiqueta de uso general, tiene sus propias ricas tradiciones y profundas raíces históricas. La primera institución en la historia nacional que gestionaba los asuntos de relaciones exteriores fue el Posolski Prikaz (Departamento Diplomático), establecido en 1540. Alrededor de esta fecha data el principio de las primeras normas del ceremonial diplomático ligadas, ante todo, a la llegada, instalación y salida de embajadores.

A lo largo de su historia, la costumbre al uso iba transformándose en el protocolo diplomático y ceremonial. La etiqueta de las normas europeas de cortesía internacional y convencionalidad mundana universal sustituyó al rito basado en la tradición. En los tiempos del imperio ruso, el árbitro de la práctica protocolaria en formación era la corte imperial. Atención especial se prestaba al ceremonial de las fiestas cortesanas donde participaban representantes de las cortes extranjeras, embajadores y ministros.

Después de la Revolución de octubre de 1917, las razones ideológicas condicionaron la necesidad de revisar las normas de protocolo y etiqueta diplomática existentes. Al igual que los títulos oficiales, fueron anulados todos los rangos diplomáticos.

A los embajadores y ministros los sustituyeron representantes diplomáticos. Pero a partir de los años veinte inició el renacimiento de las reglas de protocolo y etiqueta diplomática generalmente aceptadas. En esta época, el servicio diplomático nacional empezó a poner en práctica el arsenal completo de las normas universales de cortesía internacional.

Seguramente se puede decir que el protocolo soviético ha democratizado la formación del protocolo internacional contemporáneo, siendo atractivo para los Estados jóvenes en la palestra internacional, por su relativa sencillez.

El protocolo diplomático de la Federación Rusa también es políticamente razonable y democrático.

La práctica protocolaria común se estableció en todo el territorio ruso y entre sus tareas principales está la defensa de los intereses estatales y de sus ciudadanos, en el cumplimiento de los objetivos relacionados con las actividades del cuerpo diplomático, el control del cumplimiento del Convenio de Viena sobre las relaciones diplomáticas, de 1961, y respectivas disposiciones de la legislación nacional.

Nuestro país guarda cuidadosamente las tradiciones de la hospitalidad, que son símbolo del amor a la paz y la cordialidad. Desde hace mucho tiempo, al huésped "se le recibe con el pan y la sal", se le brinda toda la atención y se le cuida para que, además del objetivo principal de su visita, conozca la diversidad cultural y gastronómica de Rusia. Sin diferencia, se trate de la visita de un jefe de Estado del Grupo de los Ocho o de un país pequeño.

Aunque algunas de las reglas de protocolo de la comunidad internacional a primera vista parecen antiguas, de siglos pasados, se cumplen estrictamente en la práctica protocolaria de Rusia. El protocolo, el ceremonial, significan el orden, lo que confirma el respeto y garantiza la amistad entre Estados.

Embajador Valery T. Morozov
Embajada de la Federación de Rusia en México

Cómo romper la etiqueta...

El protocolo, la etiqueta: convenciones de tiempos pasados, conceptos que ya no sirven para nada y nadie sino para destacarse como una persona infinitamente aburrida. Tal parece ser la percepción contemporánea. ¿No es más divertido vestirse como a uno le dé la real gana para ir al teatro o cortar los espaguetis con el cuchillo para transportarlos con mayor facilidad hacia la boca y de ahí a su destino final? ¿Y qué es de la festividad de una cena romántica, a la luz de unas velas o candelabros de plata con el amor de tu vida? ¿Vas en atuendo de deporte?

Qué importa la vestimenta si son los sentimientos los que cuentan. ¿De verdad? Pues todo depende. Depende de la circunstancia, de las costumbres, los usos y de las convicciones religiosas, de las tradiciones de toda índole, incluso políticas y constitucionales. A (casi) nadie se le ocurre utilizar la bandera nacional para el vestuario en países donde se le atribuye un valor casi sacro.

¿Y qué hay de mi libertad? Pues siempre tiene que ver con el respeto a los demás, y como todos sabemos, la libertad nunca puede ser sin límite, de otra manera nos llevaría al caos primero y al totalitarismo después.

Admito que llevo el argumento a ultranza y lo hago simplemente para mostrar que tenemos que encontrar un equilibrio entre lo que se nos antoja individualmente y lo que podemos permitirnos en cada instante. Eso depende de las circunstancias. Y bien que nuestra experiencia y nuestra sensibilidad puedan guiarnos, la etiqueta o el protocolo pueden ser una muestra de respeto.

En una ocasión formal con participación de personas importantes del ámbito político, económico, artístico etc. debemos atenernos a las reglas protocolarias para que nadie pueda sentir lastimado su orgullo. A nadie se le ocurriría entrar a una mezquita con los zapatos puestos o asistir a una ceremonia funeral hindú vestido con una playera con motivos coloridos o eslóganes. Todo depende. Si organizamos una cena, el protocolo puede servir de punto de referencia, ni más ni menos (si no es una ocasión oficial y formal).

Fíjense que, aun aplicando esas reglas, el resultado muy a menudo puede ser inconveniente, por decir lo menos: colocar en la misma mesa personas que no pueden comunicarse por no tener un idioma en común o crear bancadas de hombres o de mujeres a la vez en lugar de proporcionar una alternancia. Y lo que queremos es que los huéspedes estén a gusto, la conversación sea animada y, en el mejor de los casos, divertida.

El estimado lector ya percibe a dónde voy: existe un equilibrio frágil o fino balance entre lo que nos impone la etiqueta, las costumbres, la cultura local y nuestra libertad de actuar. Ergo: más vale conocer las reglas de protocolo para poder romperlas.

Embajador Urs Breiter
Embajada de Suiza en México